W9-AMP-111

Contemporánea

Roberto Bolaño (1953-2003), narrador y poeta chileno, es autor de libros de cuentos (*Llamadas telefónicas*, *Putas asesinas*, *El gaucho insufrible*, *Diario de bar* —en colaboración con A.G. Porta— y *El secreto del mal*), novelas (*Consejos de un discípulo de Morrison a un fanático de Joyce* —en colaboración con A. G. Porta—, *Monsieur Pain*, *La pista de hielo*, *La literatura nazi en América*, *Estrella distante*, *Los detectives salvajes*, *Amuleto*, *Nocturno de Chile*, *Amberes*, *Una novelita lumpen*, *2666*, *El Tercer Reich*, *Los sinsabores del verdadero policía* y *El espíritu de la ciencia-ficción*), poesía (*Reinventar el amor*, *La Universidad Desconocida*, *Los perros románticos*, *El último salvaje* y *Tres*) y libros de no ficción (*Entre paréntesis*). Está considerado una de las figuras más importantes de la literatura contemporánea en español.

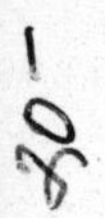

Roberto Bolaño

La pista de hielo

DEBOLS!LLO

Papel certificado por el Forest Stewardship Council®

Premio de Narrativa «Ciudad de Alcalá de Henares 1992»

Primera edición en Debolsillo: enero de 2017
Sexta reimpresión: noviembre de 2021

Travessera de Gràcia, 47-49. 08021 Barcelona
Diseño de la cubierta: Penguin Random House Grupo Editorial / Ruxandra Duru
Fotografía del autor: © Daniel Mordzinski

Printed in Spain – Impreso en España

ISBN: 978-84-663-3713-7
Depósito legal: B-19.851-2016

Compuesto en Arca Edinet, S. L.

Impreso en Prodigitalk, S. L.

P 3 3 7 1 3 A

Si he de vivir que sea
sin timón y en el delirio.

MARIO SANTIAGO

REMO MORÁN:

Lo vi por primera vez en la calle Bucareli

Lo vi por primera vez en la calle Bucareli, en México, es decir en la adolescencia, en la zona borrosa y vacilante que pertenecía a los poetas de hierro, una noche cargada de niebla que obligaba a los coches a circular con lentitud y que disponía a los andantes a comentar, con regocijada extrañeza, el fenómeno brumoso, tan inusual en aquellas noches mexicanas, al menos hasta donde recuerdo. Antes de que me lo presentaran, en las puertas del Café La Habana, oí su voz, profunda, como de terciopelo, lo único que no ha cambiado con el paso de los años. Dijo: es una noche a la medida de Jack. Se refería a Jack el Destripador, pero su voz sonó evocadora de tierras sin ley, donde cualquier cosa era posible. Todos éramos adolescentes, adolescentes bragados, eso sí, y poetas, y nos reíamos. El desconocido se llamaba Gaspar Heredia, Gasparín para los amigos y enemigos gratuitos. Todavía recuerdo la niebla debajo de las puertas giratorias y los albures que iban y venían. Apenas se vislumbraban los rostros y las luces, y la gente envuelta en aquella estola parecía enérgica e ignorante, fragmentada e inocente, tal como realmente éramos. Ahora estamos a miles de kilómetros del Café La Habana y la niebla, hecha a la medida de Jack el Destripador, es más espesa que entonces. ¡De la calle Bucareli, en México, al asesinato!, pensarán... El propósito de este relato es intentar persuadirlos de lo contrario...

GASPAR HEREDIA:

Llegué a Z mediada la primavera

Llegué a Z mediada la primavera, una noche de mayo, proveniente de Barcelona. Apenas me quedaba algo de dinero, pero no estaba preocupado pues en Z me esperaba un trabajo. Remo Morán, a quien no veía desde hacía muchos años pero de quien constantemente había tenido noticias, salvo aquel tiempo en que de él nada se supo, me ofreció, por mediación de una amiga común, un trabajo de temporada desde mayo hasta septiembre. Debo aclarar que yo no pedí el trabajo, que ni entonces ni antes intenté ponerme en contacto con él, y que nunca tuve intención de venir a vivir a Z. Es cierto que habíamos sido amigos pero hacía mucho tiempo de eso y yo no soy de los que piden caridad. Hasta entonces vivía en un piso compartido con otras tres personas, en el barrio chino, y las cosas no me iban tan mal como se pudiera imaginar. Mi situación legal en España, salvo los primeros meses, era, por decirlo de una forma suave, desesperada: no tengo permiso de residencia, no tengo permiso de trabajo, vivo en una especie de purgatorio indefinido a la espera de conseguir dinero suficiente para ahuecar el ala o pagar un abogado que arregle mis papeles. Por supuesto, ese día es un día utópico, al menos para los extranjeros que como yo poco o nada poseen. De todas formas no me iba mal. Durante mucho tiempo estuve haciendo trabajos eventuales, desde atender un puesto en la Rambla hasta coser con una Singer destartalada bolsos de cuero para una fábrica pirata, y así comía, iba al cine y pagaba mi habitación. Un día conocí a Mónica, una chilena que tenía una parada en las Ramblas, y hablando resultó que ambos, en diferentes épocas de nuestras vidas, yo años antes, ella en Europa y de forma más regular, habíamos sido amigos de Remo Morán. Por ella supe que éste ahora vivía en Z (yo sabía que vivía en España, pero no dónde) y que era imperdonable que en mi situación actual no lo fuera a visitar o que no lo llamara por teléfono. ¡Para pedirle ayuda! Por supuesto, nada hice; la distancia entre Remo y yo me parecía insalvable y tampoco era cuestión de molestar. Así que seguí viviendo o malviviendo, depende, hasta que un día Mónica me contó que había visto a Remo Morán en un bar de Barcelona, y que tras explicarle mi situación éste había dicho que partiera inmediatamente rumbo a Z pues allí podría vivir y trabajar al menos durante la temporada de verano. ¡Morán se acordaba de mí! La verdad, debo reconocerlo, es que no tenía nada mejor y que las perspectivas, hasta ese momento, eran negras como un cubo de petróleo. La propuesta, además, me emocionó. Nada me ataba a Barcelona, acababa de salir del peor resfriado de mi vida (llegué a Z todavía con fiebre), la sola idea de vivir cinco meses seguidos junto al mar me hacía sonreír como un tonto, sólo tenía que coger el tren de la costa y marcharme. Dicho y hecho: metí en la mochila los libros y la ropa y me largué con viento fresco. Todo lo que no cupo lo regalé. Al dejar atrás la Estación de Francia pensé que nunca más volvería a vivir en Barcelona. ¡Atrás y fuera de mí! ¡Sin dolor ni amargura! A la altura de Mataró comencé a olvidar todos los rostros... Pero, claro, eso es un decir, nada se olvida...

ENRIC ROSQUELLES:
Hasta hace unos años mi carácter era proverbialmente apacible

Hasta hace unos años mi carácter era proverbialmente apacible; de ello dan fe mis familiares, mis compañeros, mis subordinados, cuantas personas tuvieron ocasión de tratarme un poco. Todos ellos dirán que el individuo menos indicado para verse envuelto en un crimen soy yo. Mis hábitos son ordenados y hasta severos. Fumo poco, bebo poco, casi no salgo de noche. Mi capacidad de trabajo es reconocida: puedo prolongar la jornada laboral hasta alcanzar las dieciséis horas si es necesario y mi rendimiento no decae. A los veintidós años obtuve el título de psicólogo y sin falsa modestia debo subrayar que fui uno de los mejores de mi promoción. Actualmente curso estudios de Derecho, carrera que hace tiempo debería haber terminado, lo sé, pero he preferido tomármela con calma. No tengo ninguna prisa. La verdad es que muchas veces he pensado que cometí un error matriculándome en Derecho, qué falta me hacía, ¿no es verdad?, una carrera que a medida que pasaban los años se iba haciendo cada vez más y más pesada. Lo que no significa que vaya a abandonar. Yo nunca abandono. A veces soy lento y a veces soy rápido, mitad tortuga y mitad Aquiles, pero nunca abandono. Por otra parte, anotémoslo, no es fácil trabajar y estudiar al mismo tiempo, y, como ya he dicho, mi trabajo suele ser intenso y absorbente. La culpa, naturalmente, es mía. Era yo quien marcaba el ritmo. Entre paréntesis, permitidme, una pregunta: ¿qué pretendía con todo eso? No lo sé. Los hechos, por momentos, me sobrepasan. A veces pienso que cumplí el peor de los papeles. Otras veces pienso que durante casi todo aquel tiempo anduve con una venda en los ojos. Las noches que últimamente he pasado en vela no han conseguido que encuentre las respuestas. Tampoco han sido propicias las vejaciones y los insultos que según dicen recientemente he debido soportar. Lo único cierto es que comencé a asumir responsabilidades demasiado pronto. Durante un breve y feliz período de mi vida trabajé de psicólogo en un colectivo de niños inadaptados. Allí hubiera debido quedarme pero hay cosas que uno no entiende hasta que han pasado muchos años. Por otra parte creo que es normal que un joven tenga ambiciones, ansias de superación, metas. Yo, al menos, las tenía. De esta manera llegué a Z, poco después de la primera victoria socialista en las municipales. Pilar necesitaba alguien que dirigiera el Área de Servicios Personales y yo fui el escogido. Mi historial no era abultado pero reunía las condiciones necesarias para sacar adelante aquel trabajo delicado, casi experimental en tantos ayuntamientos socialistas. Por supuesto, yo también tengo carnet del partido (del que seré privado pública y ejemplarmente dentro de poco, si es que aún no lo han hecho) aunque eso no tuvo nada que ver con la decisión finalmente acordada: obtuve mi puesto después de ser observado con lupa y los primeros seis meses fueron, amén de inestables, agotadores. Por lo tanto permitidme que desde aquí levante la voz contra aquellos que ahora quieren mezclar a Pilar en este sucio asunto. No me colocó por amistad; aunque después de dos mandatos (en Z adoran a su alcaldesa, chínchense) entre nosotros nació algo que me honro en llamar de esa manera: amistad de compañeros de fatigas y de compañeros de ilusiones, y que en mi caso se hace extensiva a su dignísimo esposo, mi tocayo Enric Gibert i Vilamajó. Ya pueden los chacales disfrazados de periodistas decir lo que quieran. Si acaso hubo alguno, el único pecado de Pilar fue depositar, cada vez más, su confianza en mí. Si observamos el estado de los diversos departamentos antes de mi llegada y, digamos, dos años después, la conclusión es inmediata: yo era el motor del Ayuntamiento de Z, sus músculos y su cerebro. No importaba cuán cansado estuviera, siempre sacaba adelante mi trabajo y en no pocas ocasiones el de los demás. También concité rencores y envidias, incluso entre personas de mi propio círculo. Sé que muchos de mis subordinados secretamente me odiaban. Mi propio carácter, con el paso del tiempo, fue secándose y vaciándose de esperanzas. Confieso que nunca pensé permanecer en Z toda mi vida, un profesional siempre debe aspirar a más; en mi caso me hubiera encantado ser llamado a desempeñar un cargo similar en Barcelona o por lo menos en Gerona. Muchas veces soñé, no me da vergüenza decirlo, que el alcalde de una gran capital me ponía al frente de un arriesgado proyecto de prevención de la delincuencia o de lucha contra la droga. ¡En Z ya lo había hecho todo! ¡Algún día Pilar dejaría de ser alcaldesa y qué iba a ser de mí, ante qué clase de políticos debería arrastrarme! Miedos nocturnos que aplacaba conduciendo cada noche de regreso a casa. Cada noche solo y agotado. Dios mío, cuántas cosas tuve que hacer, cuánto que tragar y digerir a solas con mi alma. Hasta que conocí a Nuria y cayó en mis manos el proyecto del Palacio Benvingut...

REMO MORÁN:

Admito que en mayo di trabajo a Gaspar Heredia

Admito que en mayo di trabajo a Gaspar Heredia, Gasparín para los amigos, mexicano, poeta, indigente. Aunque no quería confesármelo, en el fondo aguardaba su llegada con impaciencia y nerviosismo. Sin embargo, cuando apareció en la puerta del Cartago a duras penas lo reconocí. Los años no habían pasado en balde. Nos dimos un abrazo y allí acabó todo. Muchas veces he pensado que si entonces hubiéramos hablado o dado un paseo por la playa y luego bebido una botella de coñac llorando, o si nos hubiéramos reído hasta el amanecer, otro gallo cantaría ahora. Pero después del abrazo una placa de hielo se instaló en mi rostro y fui incapaz de hacer un mínimo gesto de amistad. Lo sabía desamparado, pequeño y solo, retrepado en un taburete junto a la barra y nada hice. ¿Tuve vergüenza? ¿Qué clase de monstruos levantó su repentina presencia en Z? No lo sé. Tal vez creí ver un fantasma y en aquellos días los fantasmas me desagradaban profundamente. No, ahora ya no. Ahora, por el contrario, alegran mis tardes. Cuando salimos del Cartago eran más de las doce de la noche y ni siquiera fui capaz de iniciar un conato de conversación. De todas maneras, en su silencio noté que se sentía feliz. En la recepción del camping el Carajillo miraba la tele y no nos vio. Seguimos de largo. La tienda de campaña canadiense en la que a partir de entonces viviría estaba plantada en un sitio apartado, junto a la cabaña de las herramientas. Era necesario procurarle un mínimo de silencio, puesto que dormiría de día. A Gasparín todo le pareció perfecto, con su voz profunda dijo que sería como vivir en el campo. Hasta donde sé, nunca ha vivido en otro sitio que no fuera una ciudad. A un lado de la tienda había un pino muy pequeño, más parecido a un arbolito de Pascua que a un pino de camping. El lugar lo había escogido Álex: hasta en eso se notaba la laboriosidad que ponía en todas las cosas, sus juegos mentales ininteligibles. (¿Qué había querido decir con eso? ¿Que Gasparín era como la llegada de la Pascua?) Luego lo llevé a los lavabos, le expliqué cómo funcionaban las duchas y volvimos a la recepción. Eso fue todo. No lo volví a ver hasta una semana más tarde, o algo así. Gasparín y el Carajillo se hicieron buenos amigos. La verdad es que no es difícil hacerse amigo del Carajillo. El horario de Gasparín era el mismo que el de cualquier vigilante nocturno, de diez de la noche a ocho de la mañana. Se da por descontado que los vigilantes duermen durante el trabajo. La paga era buena, por encima de la que suelen cancelar en otros campings, y el trabajo no era pesado, aunque la mayor parte de éste recayera sobre Gasparín. El Carajillo está muy viejo y casi siempre demasiado bebido como para salir a hacer rondas a las cuatro de la mañana. La comida corría a cargo de la empresa, es decir a cuenta mía: Gasparín tenía derecho a desayunar, almorzar, comer y cenar en el Cartago. No se le cobraba ni una peseta. A veces yo me informaba con los camareros: ¿ha venido a comer el vigilante?, ¿cena o no el vigilante?, ¿desde cuándo no aparece por aquí el vigilante? Y a veces, pero menos, preguntaba: ¿escribe el vigilante?, ¿lo habéis visto llenando de garabatos los márgenes de algún libro?, ¿mira la luna como un lobo, el vigilante? Insistía poco, eso sí, porque no tenía tiempo... O mejor dicho, dedicaba mi tiempo a asuntos que nada tenían en común con Gaspar Heredia, lejano, empequeñecido, como dándole la espalda a todo el mundo, ocultando quién era él, cómo se las gastaba, con qué valor había caminado y caminaba (¡no, corría!) hacia la oscuridad, hacia lo más alto...

GASPAR HEREDIA:

Se llamaba Stella Maris

Se llamaba Stella Maris (un nombre con reminiscencias de pensión) y era un camping sin excesivas reglas, sin excesivas peleas, sin excesivos robos. Los usuarios eran familias de trabajadores procedentes de Barcelona y jóvenes obreros de Francia, Holanda, Italia, Alemania. La mezcla, en ocasiones, resultaba explosiva y lo hubiera sido si desde la primera noche no hubiera puesto en práctica el consejo de oro que me dio el Carajillo y que consistía en dejar que la gente se matara. La crudeza del aserto, que al principio me produjo hilaridad y luego asombro, no entrañaba una falta de respeto por los clientes del Stella Maris, al contrario, implicaba un alto grado de estima por el libre albedrío de éstos. El Carajillo, como pronto pude comprobar, era querido por la gente, sobre todo por los españoles y por alguna que otra familia extranjera que año tras año veraneaban en Z, y que en la única y prolongada ronda que el Carajillo daba por el camping no hacían más que invitarlo a entrar en sus roulottes o tiendas, en donde siempre había una copita, un trozo de tarta, una revistita pornográfica para no aburrirse por las noches. ¡Aburrirse por las noches! Era imposible. A las tres de la mañana el viejo estaba más borracho que una cuba y sus ronquidos se podían oír desde la calle. A esa misma hora, más o menos, la calma descendía sobre las tiendas y resultaba agradable recorrer las calles interiores del camping, estrechas, cubiertas de grava, con la linterna apagada y sin más preocupación que escuchar las propias pisadas. Hasta esa hora el Carajillo y yo nos sentábamos en la banca de madera, junto a la puerta principal, hablando y recibiendo las buenas noches de los desvelados y de los juerguistas. A veces debíamos transportar hasta su tienda a algún borracho. El Carajillo abría la marcha, pues siempre sabía en dónde acampaba cada persona, y yo lo seguía con el cliente sobre mis espaldas. En ocasiones recibíamos propinas por estos y otros servicios, generalmente no nos daban ni las gracias. Los primeros días intenté no dormir. Luego seguí el ejemplo del Carajillo. Ambos nos encerrábamos en la recepción, apagábamos las luces y nos acomodábamos en sendos sillones de cuero. La recepción del Stella Maris era una caja prefabricada, con dos paredes de cristal, la que daba a la entrada y la que daba a la piscina, por lo que era fácil mantener desde dentro una vigilancia más o menos efectiva. Frecuentemente se iba la luz en todo el camping y yo era el encargado de meterme en el Gran Plomo y solucionarlo mediante una acción carente de peligro, aunque en la casucha de los fusibles había que andar de lado, intentando no tocar alguno de los muchos cables sueltos. También había arañas e insectos de todas las clases. ¡El zumbido de la electricidad! Los usuarios, a quienes el apagón había interrumpido un programa de televisión, aplaudían cuando finalmente volvía la luz. En ocasiones, no muchas, aparecía la Guardia Civil. El Carajillo era quien los atendía, les celebraba las bromas, los invitaba a bajar del coche, cosa que por otra parte nunca hacían. Se decía que en el bar del Stella Maris bebían gratis, pero nunca los vi pasar. Otras veces aparecía la policía. La nacional y la municipal. Visitas de rutina. Por suerte a mí ni las buenas noches me daban. O bien cuando llegaban yo encontraba motivos para hacer una ronda por el interior del camping. Recuerdo que una noche llegó la Guardia Civil buscando a dos mujeres de Zaragoza que habían entrado aquel mismo día. Dijimos que no estaban. Cuando se marcharon el Carajillo me miró y dijo: pobres chicas, dejémoslas dormir en paz. A mí me daba igual. La noche siguiente ya no estaban; el Carajillo las avisó y se largaron a toda prisa. No pedí explicaciones. Por las mañanas, cuando empezaba a amanecer, me iba a la playa. Es la mejor hora, la arena está limpia, como recién peinada, y no hay turistas, sólo botes de pesca recogiendo las redes. Me quitaba la ropa, nadaba y volvía al camping saltando por las cañas. Cuando llegaba a la recepción encontraba al Carajillo ya despierto y las ventanas abiertas para airear el cuarto. Volvíamos a sentarnos en la banca de la entrada, levantábamos la barrera y hablábamos, generalmente del tiempo. Nublado, bochornoso, templado, con brisas, cubierto, lluvioso, soleado, caluroso... Al Carajillo, nunca supe el porqué, el tiempo le preocupaba sobremanera. Por las noches no. Por las noches su tema de conversación preferido era la guerra, mejor dicho, los últimos años de la Guerra Civil. La historia, con algunas variantes, siempre era la misma: un grupo de soldados del Ejército Republicano, armado con bombas de mano, avanzaba hacia una formación de carros blindados; los carros ametrallaban a los soldados; éstos se echaban al suelo y tras unos instantes volvían a avanzar; otra vez los carros rociaban al pelotón con fuego de ametralladora; nuevamente los soldados al suelo y tras un instante nuevamente hacia adelante; a la cuarta o quinta repetición se añadía un elemento nuevo y terrorífico: los carros, hasta entonces inmóviles, avanzaban hacia los soldados. Dos de cada tres veces, llegado a este punto, el Carajillo se ponía rojo, como si se ahogara, y soltaba las lágrimas. ¿Qué ocurría entonces? Algunos soldados daban media vuelta y echaban a correr, otros seguían avanzando al encuentro de los carros, los más caían entre gritos y maldiciones. Eso era todo. A veces la historia se prolongaba un pelín más y yo podía ver uno o dos carros ardiendo entre los muertos y la confusión. Cagados de miedo, siempre hacia adelante. Cagados de miedo, piernas para qué las quiero. Nunca quedó claro en qué grupo había estado el Carajillo, nunca se lo pregunté. Tal vez todo fuera una invención, no hubo muchos carros blindados en la Guerra Civil española. En Barcelona conocí a un viejo carnicero, en el Mercado de la Boquería, que juraba haber estado en una trinchera a menos de dos metros del mariscal Tito. No era un mentiroso, pero hasta donde sé Tito nunca estuvo en España. ¿Cómo demonios apareció, entonces, en sus recuerdos? Misterio. Tras enjugarse las lágrimas el Carajillo seguía bebiendo como si nada o me proponía una partida de chinos. Con la práctica me convertí en un experto. Tres con las tuyas, tres con las que tienes, dos y una tuya tres, una y las que tienes tres, las tres mías, las tres tuyas, las tres del tuerto, tres y no se hable más. Nunca faltaban clientes trasnochados, barceloneses que no podían dormir en medio de tanto silencio o jubilados que veraneaban tres meses con las mujeres de sus hijos, que se unían a la partida. ¡Los amigos del Carajillo! Otras veces, cansado de estar en la recepción, mataba las horas en el bar del camping. Allí, en la terraza, se daban cita seres estrafalarios y difusos, como salidos de un sueño. Era otro tipo de tertulia, la tertulia de los muertos vivientes de George Romero. Entre la una y las dos de la mañana el encargado del bar cerraba las puertas y apagaba las luces. Antes de coger su coche y marcharse rogaba que dejaran los vasos y botellas en una mesa determinada de la terraza. Nunca nadie le hizo caso. Las últimas en irse eran dos mujeres. Mejor dicho, una mujer ya mayor y una muchacha. Una hablaba y se reía como si en ello le fuera la vida; la otra, con un aire ausente, escuchaba. Las dos parecían enfermas...

ENRIC ROSQUELLES:

Sé que cuanto diga sólo contribuirá a hundirme

Sé que cuanto diga sólo contribuirá a hundirme un poco más, no obstante permitidme hablar. No soy un monstruo, tampoco el personaje cínico ni el ser sin escrúpulos que habéis pintado con tan vivos colores. Mi apariencia física, acaso, os haga reír. No importa. Hubo un tiempo en que hacía temblar a la gente. Soy gordo y no mido más de un metro sesenta y tres y soy catalán. También: soy socialista y creo en el porvenir. O creía. Perdonadme. No estoy pasando unos días muy gratos que digamos. Creía en el trabajo... y en la justicia... y en el progreso. Sé que Pilar se jactaba ante los alcaldes socialistas de la provincia de tener en su equipo a un hombre como yo. Es probable que lo hiciera aunque en la soledad de estos días muchas veces me he preguntado cómo es posible que ningún pez gordo intentara llevarme consigo, lejos de Z y de Pilar, un poco más cerca de Barcelona. Tal vez Pilar no se jactó lo suficiente. Tal vez todos tenían su hombre y no necesitaban otro. Mi poder creció y se circunscribió a Z. Esto es determinante. En Z realicé mis buenas obras y aquello por lo que tendré que pagar. El Ayuntamiento de Z, que ahora me escupe públicamente, está lleno de proyectos y estudios dirigidos por mí. Fui el jefe del Área de Servicios Personales, ya lo he dicho, pero también controlaba el Área de Urbanismo e incluso el jefe del Área de Deportes, un pervertidor de menores que ahora se atreve a insultarme, cada mañana se acercaba a mi oficina a pedirme consejos. En fiestas y actos públicos era yo quien iba al lado de Pilar. No penséis mal: el marido de nuestra alcaldesa odiaba, ignoro sus razones, cualquier reunión que excediera las seis personas. Mi tocayo Enric Gibert es lo que llaman un intelectual. Sólo Dios sabe si más me hubiera valido imitarlo y no salir de mi despacho, pues fue de esta manera, en un acto público en el Polideportivo de Z, como conocí a Nuria... Nuria Martí... Los ojos se me nublan cuando recuerdo aquella tarde... Premiábamos, de forma más bien indiscriminada, los méritos de algunos destacados deportistas de Z. Entre los galardonados estaba el equipo juvenil de baloncesto que había hecho una campaña excelente; un chico que jugaba en un equipo de fútbol de Segunda División A; el entrenador del equipo de fútbol de Z que milita en Regional Preferente y que aquel año se jubilaba; los alevines de waterpolo que habían quedado campeones de liga; y finalmente la estrella, Nuria Martí, que acababa de regresar de Copenhague, donde había defendido ni más ni menos que los colores de España en una competición de patinaje artístico sobre hielo... El pabellón estaba lleno de estudiantes de EGB (los habían llevado sus maestros) y cuando Nuria hizo acto de presencia aquello se convirtió en un manicomio. ¡Todos gritaban y aplaudían! ¡Mequetrefes de diez años silbando y dando hurras por Nuria! Nunca vi nada semejante. La explicación, obviamente, no era una afición generalizada y repentina por el patinaje artístico, deporte minoritario, como todos saben. Algunos niños, sobre todo algunas niñas, habían seguido la retransmisión televisiva del evento y por supuesto habían visto patinar a Nuria. Para unas pocas, Nuria era un ídolo. La mayoría, sin embargo, aplaudía imantada por su fama y su belleza. Porque allí, frente a mí, estaba la mujer más hermosa que jamás hubiera visto. ¡La más hermosa que jamás veré! Los niños no suelen equivocarse, dicen. Yo, como psicólogo y como funcionario, nunca lo he creído. Esta vez tenían razón. Todos los adjetivos del mundo cuadraban a la figura luminosa de Nuria. ¿Cómo había podido trabajar tantos años en Z sin haberla conocido? La única explicación que encuentro es que yo no vivía en Z y Nuria, hasta entonces, había pasado largas temporadas fuera, con una beca del Comité Olímpico Español. Durante los días que siguieron a esta, concededme que la llame así, sublime aparición, me dediqué, casi sin darme cuenta, a buscar el pretexto que permitiera, si no nuestra amistad, al menos la posibilidad de saludarnos, tal vez charlar un poco, cuando nos encontráramos por la calle. Para tal fin inventé en el Departamento de Ferias y Fiestas una plaza de Reina de la Exposición Anual de Productos Lácteos y de la Huerta, una idea que inicialmente causó estupor en el comité de payeses que comercializaban los stands pero que después de un par de explicaciones fue acogida con entusiasmo. De la misma manera sugerí que no había nadie con mayor propiedad para encarnar a la Reina de la Exposición que Nuria, nuestra patinadora internacional. Un papel protocolario y decorativo. Algunas palabras en la inauguración y punto. Todos quedaron encantados y acto seguido pasé a la parte más difícil del asunto, conseguir que ella, a partir de aquel pretexto, accediese a mirarme, a reconocerme... De más está decir que el destino de la exposición no me importaba en lo más mínimo; mi corazón por primera vez se imponía a mi cerebro y yo lo seguía obediente y entusiasta. Esto sucedió en primavera, según creo, y en ningún momento dejé de presentir que me encaminaba hacia el abismo y la ruina, pero no me importó. Si lo menciono es simplemente para no dar una imagen distorsionada de mi lucidez. Tampoco ahora me importa. El coordinador de Ferias y Fiestas fue el encargado de ofrecerle la corona, y tal como había previsto, Nuria la rechazó. Entre otras cosas el coordinador me informó de que la fecha de su reintegración en el equipo español de patinaje estaba próxima. No había, pues, tiempo que perder. Tenía un motivo válido para interesarme en ella y aquel mismo día la llamé y sin más dilaciones concertamos una cita en un local del casco antiguo de Z. Por supuesto no logré convencerla, ni era ése mi propósito, que fuera reina, pero conseguí, al final, que aceptara una invitación para cenar conmigo aquella semana. Así comenzó todo. Nunca supe si hubo reina esa primavera. Después de la primera cena las siguientes se sucedieron a un ritmo endemoniado. Comencé a relacionarme con la gente que ella alternaba y poco a poco mis hábitos sociales fueron cambiando. Cada vez eran más frecuentes nuestros encuentros casuales. Cada vez más dichosos. Debo reconocer que hubiera seguido así el resto de mi vida, pero nada es duradero. A medida que nuestra amistad se fue haciendo más profunda comencé a percibir con mayor nitidez los problemas de Nuria; problemas que, vistos con una cierta óptica, no eran tales, pero que su temperamento artístico desorbitaba de inmediato. No mencionaré aquí los cientos de pequeños baches que la vida empezó a poner por aquellas fechas en su camino. Sólo recordaré los dos que me parecen más significativos. El primero me fue revelado una noche tras una agradable cena en compañía de buenos amigos, algunos de los cuales se entretienen ahora escupiendo mi rostro. Al marcharnos Nuria me ordenó que fuera rumbo a las calas en lugar de ir directamente hacia su casa. En la más alejada, en la cala de San Belisario, se puso a hablar, de forma entrecortada y caprichosa, acerca de una historia de amor entre ella y un caballerete al que no conocía. Deduje que habían sido novios. Deduje que ya no lo eran. Pude notar su dolor y extrañeza. Menos mal que dentro del coche estaba oscuro pues de lo contrario ella hubiera leído en mi rostro desencajado la profunda incredulidad, la aversión, incluso, por la existencia de un hombre capaz de dejarla. En cualquier caso puedo decir que con esa confidencia, que a ella atormentaba, yo me gradué como amigo íntimo. ¿Qué palabras dije de consuelo? Olvídalo. Insistí una y otra vez en que lo olvidara y se dedicara en cuerpo y alma a lo suyo, al patinaje. El segundo problema estaba relacionado precisamente con el patinaje. Sucedió unos diez días después de que Nuria se marchara de Z. El equipo español se había concentrado en Jaca, en un centro de alto rendimiento a medio construir, y desde allí recibí una llamada telefónica a las doce de la noche de una Nuria hecha un mar de lágrimas. ¡Le habían quitado la beca! ¡Se habían reunido en Jaca todos los miserables y habían procedido a dar, renovar y quitar becas! Ciertamente no fue Nuria la única en sufrir aquella encerrona. En pocas horas quedaron sin trabajo dos entrenadores nórdicos y uno húngaro, amén de varios nacionales, y sin becas casi todos los patinadores mayores de diecinueve años. Las excepciones, según ella, eran dignas de toda sospecha. La noticia, al día siguiente, aparecía en el interior de los periódicos deportivos, a una sola columna, en las secciones dedicadas a deportes de invierno, y no merecía la atención de los periódicos nacionales. Pero para Nuria aquello fue un golpe muy duro. La política de la Federación Española de Patinaje era renovarse o morir, algo común en nuestro país y generalmente sin mayor trascendencia. Todos estamos acostumbrados a morirnos cada cierto tiempo y tan poco a poco que la verdad es que cada día estamos más vivos. Infinitamente viejos e infinitamente vivos. En el caso de Nuria, ésta quedaba apartada del equipo nacional, no así de su federación autonómica, en cuyas instalaciones podía seguir entrenando y compitiendo. Su moral de deportista de élite, como es fácil suponer, quedó debilitada. De más está decir que en la nueva selección de patinaje artístico no tenía cabida aunque, según sus palabras, era superior a las dos niñas que ahora compartían el liderato. Poco después pude averiguar, leyendo periódicos y telefoneando a algunos amigos periodistas de Gerona, que la mayoría de los patinadores catalanes había corrido la misma suerte. ¿Era un caso de postergación centralista? No lo sé, ni me importa, a esas alturas de mi vida sólo tenía sentido aquello que hacía feliz e infeliz a Nuria. La nueva situación, de alguna manera, me era favorable, pues al carecer de beca ella debería vivir de forma estable en Z. Pero el amor no es egoísta, lo descubrí no hace mucho, y el vacío de Nuria, su readaptación dolorosa a un mundo donde ya no habría viajes al extranjero, si acaso un viaje en tren dos veces por semana a la pista de hielo de Barcelona, consiguió hacerme sangrar el corazón. Cuando regresó a Z tuvimos varias conversaciones, a veces en mi oficina durante horas de trabajo (ella era la única que podía llegar e interrumpirme a la hora que quisiera; ella y Pilar, claro) y otras veces en el puerto de los pescadores, apoyados en viejos botes que ya nadie usaba y que olían, curiosamente, a cremas faciales, hablando siempre de lo mismo: el nepotismo de los dirigentes deportivos, la injusticia cometida con ella, su talento que se evaporaría con el paso de los meses. ¿Os preguntaréis cómo fuimos capaces de darle vueltas a lo mismo, una nimiedad al fin y al cabo, con tantas cosas importantes y tal vez agradables que teníamos para decirnos? Nuria era así, monotemática: cuando tropezaba con algo que no entendía lo golpeaba repetidas veces con su cabecita rubia hasta que le salía sangre. Yo ya había aprendido que lo mejor era escuchar y callar, a menos que aportara una solución, ¿pero qué podía hacer frente a la inalcanzable Federación de Patinaje Artístico? Nada, obviamente. Dejar que pasara el tiempo. Y mientras tanto saborear los instantes en que estábamos juntos, que ya eran diarios, y mirarla, y disfrutar de los días maravillosos de Z, y ser feliz. ¿Si me insinué durante este período? Nunca. No sé si fue por falta de valor, por miedo a estropear nuestra amistad, por indolencia o por timidez, pero creí prudente dejar un margen aún más amplio de tiempo. Uno labra su propia desgracia, ya lo he oído, mientras tanto era el perfecto *chevalier servant* y no me disgustaba. Salíamos al cine, a tomar copas o a pasear en coche, a veces cenábamos en su casa, con su madre y una hermanita de diez años, Laia, quienes me recibían, no sé, como el novio, o el futuro novio, supongo, nunca terminé de entenderlo, en cualquier caso siempre de forma muy amable y familiar. Después de cenar veíamos un vídeo, generalmente era yo quien lo llevaba, o bien nos quedábamos solos en la salita mirando su álbum de recortes y fotos. Unas veladas agradables. Muchas veces pensé que en ese momento debí plantarme, decir hasta aquí llego, soy feliz, qué más puedo pedir; pero el amor, que no entiende de razones ni de plantes, me empujaba. Así fue como fatalmente empezó a tomar forma el proyecto del Palacio Benvingut...

REMO MORÁN:
Ahora ya es inútil que intente arreglar lo que no tiene arreglo

Ahora ya es inútil que intente arreglar lo que no tiene arreglo, sólo me propongo aclarar mi participación en los hechos acaecidos el pasado verano en Z. No me pidan que hable con mesura y distanciamiento, al fin y al cabo éste es mi pueblo y aunque ahora tal vez deba marcharme, no quiero hacerlo dejando tras de mí un cúmulo de equívocos y de engaños. No soy, como se ha venido diciendo, el hombre de paja de un narcotraficante colombiano, no pertenezco a ninguna mafia latinoamericana de tratantes de blancas, no estoy relacionado con la variante brasileña de la disciplina inglesa, aunque, lo confieso, no me disgustaría que así fuera. Sólo soy un hombre que ha tenido mucha suerte, y también soy, o era, un escritor. Llegué a este pueblo hace años, en una época de mi vida que me parecía oscura y mediocre. Para qué hablar de entonces. Baste con decir que había trabajado de vendedor ambulante en Lourdes, Pamplona, Zaragoza y Barcelona, y que tenía unos ahorros. Pude haberme establecido en cualquier parte, la casualidad quiso que lo hiciera en Z. Con el dinero ahorrado alquilé un local que transformé en tienda de bisutería, el sitio más barato que pude encontrar y que consumió hasta mi última peseta. Pronto me di cuenta de que debido a mis constantes viajes a Barcelona en busca de género, que por otra parte compraba en cantidades irrisorias, iba a ser imposible llevar el negocio sin ayuda y tuve que buscar un empleado. Precisamente en uno de estos viajes encontré a Álex Bobadilla. Yo volvía en el tren de la tarde con cuatro mil pesetas en bisutería y él leía con embeleso la *Guía del Trotamundos;* a su lado, en un asiento vacío, había una mochila pequeña y vieja de la que asomaba un voluminoso paquete de cacahuetes. Álex comía y leía, nada más; parecía un monje budista que hubiera decidido hacerse boy-scout, o viceversa; también parecía un mono. Después de observarlo con atención le pregunté si se dirigía al extranjero. Respondió que eso pensaba hacer cuando acabara el verano, en septiembre u octubre, pero que antes debía encontrar un trabajo. Se lo ofrecí de inmediato. Así fue como empezó nuestra ascensión en los negocios y nuestra amistad. El primer año, Álex y yo dormimos en la misma tienda, en el suelo, junto a las mesas donde durante el día exhibíamos collares y pendientes. Al terminar la temporada, en septiembre, el balance era óptimo. Pude haber guardado el dinero, conseguir un piso decente o marcharme de Z, pero lo que hice fue alquilar un bar que por causas desconocidas había quebrado. Ese bar es el Cartago. Cerré la tienda y durante el invierno trabajé en el bar. Álex permaneció conmigo, ausentándose sólo un fin de semana en que fue a visitar a sus padres, dos ancianos muy simpáticos, jubilados, que dedican su tiempo libre a cuidar el huerto que tienen en Badalona y que suelen venir a Z una vez al mes; la verdad es que más parecen sus abuelos que sus padres. Aquel invierno convertimos la tienda en nuestra casa, es decir allí teníamos nuestras colchonetas y sacos de dormir, nuestros libros (aunque nunca vi a Álex leer otra cosa que no fuera la *Guía del Trotamundos*) y nuestra ropa. El Cartago nos dio de comer y para el verano siguiente teníamos dos negocios funcionando. La tienda de bisutería, ya consolidada, dio dinero, pero el bar dio mucho más. Mi segundo verano en Z fue estupendo, todo el mundo quería vivir sin reservas sus quince días o su semana de felicidad, como si la Tercera Guerra Mundial estuviera por comenzar. Al finalizar la temporada alquilé otra tienda de bisutería, esta vez en Y, a pocos kilómetros de Z, y también me casé, pero de esto hablaré más adelante. La temporada siguiente no desmereció de las anteriores y pude poner un pie en X, un poco más al sur de Y, pero lo suficientemente cerca de Z como para que Álex controlara diariamente el movimiento de caja. Tres temporadas después ya estaba divorciado, y para entonces teníamos a pleno rendimiento, además del bar y las tiendas, un camping, un hotel, y otros dos locales en donde alternaba la venta de bisutería con los souvenirs y los potingues para la playa. El hotel, pequeño pero confortable, se llamaba Del Mar. El camping tiene por nombre Stella Maris. Las tiendas: Frutos de Temporada, Sol Naciente, Bucanero, Costa Brava y Montané e Hijos. Huelga decir que yo no he cambiado sus nombres originales. El Del Mar pertenece a una viuda alemana. El Stella Maris es de una vieja familia de Z, gente de pro, que inicialmente intentó explotar el camping pero ante los pésimos resultados optó por alquilarlo; en realidad ellos desearían vender el terreno pero nadie se atreve a comprarlo pues sobre él no se puede edificar. Algún día, sin duda, todos los campings de Z serán convertidos en hoteles y edificios de apartamentos, entonces yo deberé decidir entre comprar o hacerme a un lado. Probablemente cuando llegue ese día ya esté lejos de aquí. Mi primera tienda, como su nombre indica, fue un negocio de hortalizas y verduras. De las otras poco puedo decir: Montané e Hijos es la de pasado más oscuro. ¿Quiénes son o eran el señor Montané y sus hijos? ¿A qué se dedicaban? El local está alquilado a una agencia, pero hasta donde sé el propietario no se apellida Montané. A veces, por decir algo, le digo a Álex que en ese local debió funcionar un negocio de pompas fúnebres o de antigüedades, o una tienda dedicada a la caza deportiva, ocupaciones todas que disgustan profundamente a mi ayudante. Son poco sociales, dice. Traen mala suerte. Tal vez tenga razón. Si Montané e Hijos fue una tienda de cazadores, es posible que haya atraído sobre mí un poco de la mala suerte de la que antes me vi libre... La sangre... El asesinato... El miedo de la víctima... Recuerdo un poema, hace tiempo... El asesino duerme mientras la víctima lo fotografía... ¿Lo leí en algún libro o lo escribí yo mismo...? Francamente, lo he olvidado, aunque creo que lo escribí yo, en México DF, cuando mis amigos eran los poetas de hierro, y Gasparín aparecía en los bares de la colonia Guerrero o de la calle Bucareli después de caminar de una punta de la ciudad a la otra, ¿buscando qué?, ¿buscando a quién...? Los ojos negros de Gasparín en medio de la niebla mexicana, ¿por qué será que al pensar en él el paisaje adquiere contornos antediluvianos? Enorme y lento; dentro y fuera de las miasmas... Pero tal vez no lo escribí yo... El asesino duerme mientras la víctima le toma fotografías, ¿qué les parece? En el lugar más idóneo para el crimen, el Palacio Benvingut, claro...

GASPAR HEREDIA:
A veces, cuando me asomaba a las rejas del camping

A veces, cuando me asomaba a las rejas del camping, de madrugada, lo veía salir de la discoteca del otro lado de la calle, borracho y solo, o con gente que yo no conocía, ni él tampoco a juzgar por su actitud ensimismada, por sus gestos de astronauta o de náufrago. Una vez lo vi en compañía de una rubia y ésa fue la única ocasión en que me pareció alegre, la rubia era hermosa y ambos daban la impresión de ser los últimos en abandonar la discoteca. Las pocas veces que me vio nos saludamos levantando las manos y eso fue todo. La calle es ancha y a esa hora suele tener un aire espectral, las aceras llenas de papeles, restos de comida, latas vacías y vidrios rotos. De tramo en tramo uno encuentra borrachos que peregrinan hacia sus respectivos hoteles y campings, y que terminan, los más, perdidos durmiendo en la playa. Una vez Remo atravesó la calle y me preguntó por entre las rejas si el trabajo iba bien. Dije que sí y nos dimos las buenas noches. No hablábamos mucho, él casi no aparecía por el camping. Era Bobadilla el que venía cada tarde, antes de que empezara mi turno, y se quedaba un rato mirando los libros y los ficheros. Con Bobadilla nunca llegué a intimar, cada quince días recibía mi paga y allí terminaba nuestro trato, un trato cortés, eso sí. Remo y Bobadilla, éste en menor grado, eran apreciados por sus empleados: pagaban bien y sabían mostrarse comprensivos si alguna vez surgía un problema. Los recepcionistas, una chica de Z y un peruano que también era el electricista, y las tres mujeres de la limpieza, entre las que había una senegalesa que sólo sabía decir en español hola y adiós, trabajaban, dentro de lo que cabe, en un ambiente distendido que incluso propiciaba los romances: el peruano y la recepcionista tenían un asunto amoroso. En cualquier caso los problemas entre empleados y patronos eran mínimos y los problemas entre empleados no existían. Una de las posibles causas de esta armonía podía ser lo atípico del grupo que allí laborábamos: tres extranjeros sin permiso de trabajo y tres españoles viejos a los que ya no querían en ningún sitio, y el cupo quedaba casi completo. Ignoro si en el resto de los negocios de Remo las plantillas tenían características similares, supongo que no. De las mujeres de la limpieza sólo Miriam, la senegalesa, dormía fuera del camping. Las otras dos, Rosa y Azucena, eran del cinturón de Barcelona y dormían en una tienda familiar de dos habitaciones cerca del lavabo principal. Hermanas y viudas, complementaban su jornal con limpiezas a domicilio a cargo de una agencia de alquiler de pisos. Aquél era el primer verano que estaban en el Stella Maris; el año anterior habían trabajado para otro camping de Z del que fueron despedidas a causa de su pluriempleo que en ocasiones las obligaba a ausentarse cuando más se las necesitaba. Pese a que cada una trabajaba un promedio de quince horas diarias aún les sobraba tiempo, por las noches, para tomarse unas copitas a la luz de una bombilla de butano, sentadas en sillas de plástico a la puerta de su tienda mientras espantaban mosquitos y conversaban de sus cosas. Básicamente de lo guarros que son los seres humanos. La mierda, maleable, casi un lenguaje que intentaban vanamente desenmarañar, se hallaba presente en todas sus sobremesas nocturnas. Por ellas supe que la gente se cagaba en las duchas, en el suelo, a ambos lados de la taza del retrete y en el bordillo de ésta, operación de equilibrio preciso, no exenta de cierto virtuosismo sencillo y profundo. Con mierda escribían en las puertas y con mierda ensuciaban los lavamanos. Mierda primero cagada y luego acarreada hacia lugares simbólicos y vistosos: el espejo, la bomba de incendio, los grifos; mierda amasada y luego pegoteada formando figuras de animales (jirafas, elefantes, el ratón Mickey), lemas futbolísticos, órganos del cuerpo (ojos, corazones, penes). El colmo de la indignación, para las hermanas, era que en el lavabo de mujeres ocurría lo mismo, si bien con menor incidencia y con algunos detalles significativos que hacían recaer sobre una persona en particular la autoría de tales excesos. Una «guarra malvada» que estaban dispuestas a cazar. Para tal fin las hermanas montaron, junto con la senegalesa, una discreta vigilancia basada en el tenaz y aburrido método del descarte. Es decir, se fijaban atentamente en quienes hacían uso de los lavabos e inmediatamente después ellas entraban a verificar el estado en que los habían dejado. Así descubrieron que las tropelías fecales ocurrían a una cierta hora de la noche y la principal sospechosa resultó ser una de las dos mujeres que yo solía ver en la terraza del bar. Rosa y Azucena levantaron la denuncia ante los recepcionistas y éstos se lo dijeron al Carajillo y el Carajillo me lo dijo a mí, que hablara con la susodicha y que buenamente, y sin ofender, hiciera lo que pudiera. El encargo no era fácil, como ustedes comprenderán. Aquella noche esperé en la terraza hasta que todos se hubieran ido. Como siempre, las dos mujeres fueron las últimas en marcharse, sentadas en el extremo opuesto a mi mesa, semiocultas bajo un árbol enorme cuyas raíces habían resquebrajado el cemento de la terraza. ¿Cómo se llaman esos árboles? ¿Plátanos? ¿Pinos Reales? No lo sé. Me acerqué a ellas llevando mi taza en una mano y mi linterna de vigilante en la otra; sólo cuando estuve a menos de un metro dieron muestras de haber notado mi presencia. Pregunté si podía tomar asiento junto a ellas. La vieja soltó una risotada y dijo por supuesto, cómo no, guapete del pelo. Ambas tenían las manos limpias. Ambas parecían disfrutar del frescor de la noche. ¿Qué podía decir yo? Sólo bobadas. Una atmósfera de extraña dignidad las cubría, protegiéndolas. La joven era silenciosa y oscura. La vieja, por el contrario, era parlanchina y tenía el color de la luna, de una luna astillada que se venía abajo. ¿De qué hablaban aquella primera vez? No lo recuerdo. Ni siquiera un minuto después de dejarlas habría podido recordarlo. Con nitidez, con extrema nitidez, sólo aparecen las risas de la vieja y los ojos planos de la joven. ¿Como si se mirara hacia dentro? Tal vez. ¿Como si les hubiera dado vacaciones, a los ojos? Tal vez, tal vez. Y la vieja mientras tanto hablaba y sonreía, palabras enigmáticas, como en clave, como si todo lo que allí había, los árboles, la superficie irregular de la terraza, las mesas desocupadas, los reflejos perdidos en la marquesina del bar, se estuvieran borrando progresivamente y sólo ellas dos lo advirtieran. Pensé que una mujer así no podía haber hecho aquello que se le imputaba y que si lo hubiera hecho sus razones tendría. Arriba, sobre las ramas de los árboles, entre la tembladera de hojas, las ratas del camping realizaban sus ejercicios nocturnos. (¡Ratas y no ardillas como creí la primera noche!) Entonces la vieja comenzó a cantar, ni muy alto ni muy bajo, como si su voz, en atención a mí, también se descolgara, prudentemente, de entre las ramas. Una voz educada. Aunque yo no entiendo nada de ópera creí distinguir trozos de diferentes arias. Con todo, lo más notable era que también cantaba en distintos idiomas, fragmentos diminutos que encadenaba sin dificultad, aleteos para mi único disfrute. Y digo mi único disfrute porque la muchacha se mantuvo ausente durante todo el tiempo. A veces se llevaba la punta de los dedos a los ojos, y nada más. Enferma entre los trinos de la cantante, se mantenía dueña de una notable fuerza de voluntad que la abstuvo de toser mientras la vieja cantaba. ¿Nos miramos a la cara en algún momento? No, creo que no, aunque es posible. Y si la miré pude notar que su rostro tenía la virtud de la goma de borrar. ¡Se iba y volvía!

Tanto, y de forma tan pronunciada, que hasta el alumbrado del camping comenzó a parpadear, a crecer y disminuir, ignoro si al ritmo de mis encuentros con su cara o siguiendo el diapasón de la voz de la cantante. Durante un instante sentí algo semejante al arrebato: las sombras se alargaban, las tiendas se hinchaban como tumores incapaces de despegarse de la gravilla, el brillo de los coches se metalizaba hasta el dolor puro. Lejos de la terraza, en el cruce que conduce al exterior, vi al Carajillo. Parecía una estatua aunque supe que sin duda nos observaba desde hacía rato. Entonces la vieja dijo algo en alemán y cesó el canto. ¿Qué te ha parecido, guapete del pelo? Dije que muy bueno y me levanté. La muchacha no alzó la mirada de su taza. Hubiera deseado invitarlas a beber o a comer, pero el bar del camping hacía mucho que estaba cerrado. Les deseé buenas noches y me marché. Al llegar al cruce el Carajillo ya no estaba. Lo encontré sentado en la recepción. Tenía la tele encendida. Me preguntó, como sin darle importancia, qué había pasado. Dije que no creía que aquella mujer fuera la cagona que buscaban Rosa y Azucena. Recuerdo que el programa era una retransmisión de un torneo de golf desde Japón. El Carajillo me miró con tristeza y dijo que sí, que había sido ella, pero que no tenía importancia. ¿Qué íbamos a decirles a las mujeres de la limpieza? Les diríamos que estábamos en ello, que había más sospechosas, que aquél era un asunto para reflexionar, ya se nos ocurriría algo...

ENRIC ROSQUELLES:
Dicen que Benvingut emigró a finales del siglo pasado

Dicen que Benvingut emigró a finales del siglo pasado, volvió después de la Primera Guerra Mundial y construyó el palacio en las afueras del pueblo, debajo del despeñadero, en la cala que hoy se conoce como cala Benvingut. En el casco antiguo hay una calle con su nombre: carrer Joan Benvingut. Una panadería, una floristería, una cestería y unos pocos pisos viejos y húmedos mantienen la memoria de aquel catalán insigne. ¿Qué hizo Benvingut por Z? Volver, me parece, y convertirse en ejemplo tangible de que un hijo del pueblo podía hacerse rico en las Américas. De antemano aclaro que no soy proclive a esta clase de héroes. Admiro a quienes trabajan y no hacen ostentación de su dinero, admiro a quienes modernizan el país y son capaces de dotarlo de lo necesario por más dificultades que surjan en el camino. Por lo que sé, Benvingut no era nada de todo eso. Hijo de pescadores, de escasa educación, a su regreso se convierte en el cacique de Z y en uno de los hombres más ricos de la provincia. Por supuesto, fue el primero en tener un coche. También fue el primero en instalar en su vivienda una piscina y una sauna. El palacio está diseñado, en parte, por un famoso arquitecto de aquellos años, López i Porta, un epígono de Gaudí, y por el propio Benvingut, lo que constituye una explicación válida para el carácter laberíntico, caótico, vacilante, de todas y cada una de las plantas. ¿De hecho, cuántas plantas tiene el Palacio Benvingut? Poca gente lo sabe de cierto. Visto desde el mar semeja tener dos y produce, además, la impresión de hundimiento, como si se asentara sobre arenas movedizas y no sobre piedra viva. Desde la entrada principal o desde el camino que atraviesa el jardín solariego, el visitante podría jurar que son tres plantas. En realidad tiene cuatro. El engaño radica en la disposición de las ventanas y el desnivel del terreno. Desde el mar se observan la tercera y cuarta plantas. Desde la entrada, la primera, la segunda y la cuarta. ¡Cuántas tardes agradables pasé allí con Nuria cuando el proyecto del Palacio Benvingut era tan sólo eso, un proyecto, una posibilidad capaz de insuflar en mi espíritu la poesía y la entrega que creía inherentes al amor! ¡Con cuánta asombrosa felicidad recorrimos las habitaciones, abriendo balcones y armarios, descubriendo patios interiores recoletos y estatuas de piedra veladas por la maleza! Y luego, cansados, al final de la excursión, qué agradable era sentarnos a la orilla del mar y dar cuenta de los bocadillos que Nuria previamente había preparado. (¡Para mí una lata de cerveza, para ella agua mineral en *tetrabrik*!) Durante estas noches interminables muchas veces me he preguntado qué fue lo que me impulsó a llevarla por primera vez al Palacio Benvingut. La culpa, aparte del amor que lastimosamente procura ser ameno y mete la pata, la tiene *El lago azul*. Sí, me refiero a la película, la vieja película de Brooke Shields. En honor a la verdad, y como dato curioso, debo decir que toda la familia Martí amaba *El lago azul*: la madre, Nuria y Laia eran fervientes consumidoras de las aventuras de Brooke y Nick en el Paraíso. ¿Habéis visto *El lago azul*? Yo me la tragué unas cinco veces, en vídeo, en la salita de estar de su casa, aunque nunca pude percibir cuáles eran sus méritos cinematográficos. La alegría que me producía inicialmente, no la película sino el perfil de Nuria contemplando a aquellos niños asilvestrados, se trocó, a fuerza de quemar la cinta, en inseguridad y miedo. ¡Nuria deseaba vivir, al menos cuando poníamos el maldito vídeo, en la isla de Brooke Shields! Su belleza angelical, su cuerpo perfecto y gimnástico en nada hubieran desmerecido la comparación, el cambio de paisaje. El que quedaba mal parado con la extrapolación era yo. Si Nuria tenía derecho a vivir en aquella isla también tenía derecho a un compañero grácil, fuerte, hermoso, por no decir joven, como el de la película. En aquel reparto, debo admitirlo, yo sólo podía aspirar a ser Peter Ustinov. (En una ocasión Laia dijo, refiriéndose a Ustinov, que era un gordo bueno aunque pareciera un gordo malo. Me sentí aludido. Enrojecí.) ¿Cómo comparar mi gordura, mis desangeladas redondeces, con los bíceps duros de Nick? ¿Cómo comparar mi estatura, por debajo de la media, con el metro ochenta, por lo menos, del rubiales? El asunto, objetivamente, era ridículo. Cualquier otro se hubiera reído de tales temores. Yo, en cambio, sufrí como nunca. La ropa y el espejo se convirtieron en dioses benévolos y terribles. A partir de entonces intenté correr por las mañanas, hacer pesas en el gimnasio, probar dietas de adelgazamiento. La gente del trabajo comenzó a notar algo raro en mí, como si estuviera rejuveneciendo. ¡Tengo una dentadura espléndida! ¡No se me cae el pelo! Consuelos de psicoanalista que yo mismo me daba delante del espejo. ¡Tengo un sueldo extraordinario! ¡Una carrera prometedora! Pero lo hubiera cambiado todo por estar con Nuria y ser como Nick. Entonces pensé que el Palacio Benvingut era como una isla, y llevé a Nuria. La llevé a mi isla. Una buena parte de la fachada y de las dos torres que salen de los anexos está recubierta de losetas azules. Azul marino en la parte inferior y azul celeste en la superior y en ambas torres. Cuando el sol les da de lleno el paseante puede vislumbrar un brillo azul, una escalinata azul que se levanta hacia las colinas. Primero observamos refulgir el palacio desde el coche, en un recodo del camino, luego la invité a entrar. ¿Que cómo tenía las llaves? Nada más fácil: desde hacía años el palacio pertenecía al Ayuntamiento de Z. Temblando, le pedí a Nuria que expresara su opinión. Todo lo encontró maravilloso. ¿Tan bonito como la isla de Brooke Shields? ¡Mucho más! ¡Mucho más! Creí que me iba a desvanecer. Nuria bailaba a lo largo del salón, y saludaba a las estatuas, y se reía todo el rato. El paseo por la casa se prolongó y no tardamos en descubrir, bajo un galpón gigantesco, la legendaria piscina de Joan Benvingut. Cubierta de suciedad como un trapero, la piscina, otrora blanca, pareció reconocerme, saludarme. Quieto, incapaz de romper el encantamiento, permanecí allí mientras Nuria correteaba ya por otras habitaciones. No podía respirar. Yo diría que entonces nació el proyecto, en sus líneas maestras, aunque siempre supe que al final me descubrirían...

REMO MORÁN:

Conocí a Lola en circunstancias extraordinarias

Conocí a Lola en circunstancias extraordinarias, durante mi primer invierno en Z. Alguien, un alma caritativa o diabólica, alertó a los Servicios Sociales del pueblo y un mediodía luminoso apareció ella por la tienda cerrada. A través de los cristales pudo verme. Yo estaba sentado en el suelo, leyendo, como hacía todas las mañanas, y su rostro, al otro lado de la vitrina, me pareció sereno y magnífico como una mancha solar. Si hubiera sabido que era la asistente social y que venía en función de su trabajo, sin duda no me hubiera parecido tan hermosa. Pero eso lo supe después de levantarme a abrir la puerta y después de decirle que la tienda estaría cerrada hasta mayo. Con una sonrisa que no olvidaré dijo que no quería comprar nada. Su visita estaba motivada por una denuncia. El cuadro, más o menos, era el siguiente: un niño, Álex, sin ir a la escuela; su hermano mayor o su padre, yo, sin hacer nada de provecho salvo leer cuando el sol calentaba los aparadores; una tienda en pleno barrio turístico en peligro de chabolización por culpa de unos sudamericanos desaprensivos. Sin entrar en otro tipo de consideraciones, quien dio el soplo estaba próximo a la ceguera. De inmediato la llevé al Cartago, a pocos pasos de allí, en donde, a salvo de clientes, Álex repasaba por centésima vez la lista de lugares sórdidos de Estambul. Tras las presentaciones la invitamos a tomar una copa de coñac y después Álex demostró, carnet de identidad en mano, su mayoría de edad. Lola empezó a decir que lo lamentaba muchísimo, que esos errores eran comunes. Entonces le rogué que volviéramos a la tienda para que viera que de chabola nada. Y ya embalado, le mostré los libros que leía, le dije quién era mi poeta catalán favorito, a qué poetas españoles admiraba más, en fin, el maldito rollo de siempre. De todas formas, ella nunca entendió por qué vivíamos en la tienda y no en un piso o en una pensión. De aquel incidente saqué en claro algunas cosas. Primero, que los sudamericanos eran vistos con algo de recelo; segundo, que el Ayuntamiento de Z no quería comerciantes que durmieran en el suelo de sus propios negocios; tercero, que Álex estaba adquiriendo mi acento, lo cual era preocupante. Lola tenía por aquel tiempo unos veintidós años, y era voluntariosa e inteligente aunque no demasiado, claro, porque de serlo no se hubiera liado conmigo. ¡Era alegre!, pero también responsable y con una enorme disposición para la felicidad. Creo que no fuimos desdichados. Nos gustamos, empezamos a salir, al cabo de los meses nos casamos, tuvimos un hijo, y cuando el niño cumplió dos años nos divorciamos. Con ella conocí por primera vez el mundo de los adultos, aunque eso lo supe después de separarnos. Yo era un adulto, vivía entre adultos, mis problemas y deseos eran de adulto, reaccionaba como adulto, incluso los motivos de nuestra separación fueron inequívocamente adultos. La resaca subsiguiente fue larga y en ocasiones dolorosa, pero tuvo la ventaja de reintegrarme a una cierta provisionalidad en el fondo anhelada. ¿Ya he dicho que el jefe de Lola era Enric Rosquelles? Mientras vivimos juntos pude forjarme una idea aproximada del sujeto. Repelente. Un pequeño tiranuelo lleno de miedos y manías, convencido de ser el centro del mundo cuando a lo único que llegaba era a gordito asqueroso propenso a los pucheros. El azar quiso que su odio hacia mí fuera natural e instantáneo. Nada hice para alimentar su animadversión (sólo nos vimos tres veces), que sabía irracional y constante. A su manera, solapada, intentó zancadillearme en múltiples ocasiones: vigilando el estricto cumplimiento de los horarios de cierre, buscando fallos en mis licencias fiscales, azuzando a los inspectores de trabajo; pero nada le salió bien. ¿Qué inspiraba tan asidua cacería? Conjeturo que alguna observación banal de mi parte, algún comentario poco delicado, que no advertí, pero que a él debió ofender profundamente. Sospecho que tal comentario se produjo en presencia no sólo de Lola sino del equipo completo de Servicios Sociales de Z. Vagamente recuerdo una fiesta, ¿qué hacía yo allí?, no lo sé, acompañar a Lola, supongo, aunque es raro: ambos teníamos bien delimitadas nuestras respectivas parcelas de amistades, ella tenía a sus amigos del trabajo, entre los que estaba Rosquelles, y yo tenía a Álex y a la gente que iba a beber al Cartago, la tristeza pura. Lo cierto es que posiblemente lo ofendí. Para un tipo de la calaña de Rosquelles una observación tal vez algo maliciosa, tal vez un poco malintencionada, podía alimentar indefinidamente el rencor. En cualquier caso, su antipatía no se salió nunca de los límites burocráticos convencionales. Al menos hasta el verano pasado. Entonces, incomprensiblemente, pareció enloquecer. Su comportamiento se hizo más extravagante de lo habitual y sus subordinados, según me contó Lola, sólo deseaban que llegaran las vacaciones. Su xenofobia antisudamericana tenía un destinatario preciso. Durante muchos días y muchas noches sentí su atareada sombra a mi alrededor, un frufrú maligno de cerdo alado, como si esa vez la trampa tuviera visos de ser efectiva. La situación era, en cierta manera, interesante y digna de estudio, aunque por aquellas fechas lo único que me interesaba de verdad era Nuria Martí. Qué me importaba a mí que Rosquelles estuviera manifiestamente nervioso y que echara espuma por la boca. El asunto, un triángulo muy original, hubiera podido ser divertido, pero la muerte raramente lo es. Creo que durante todos los años que pasé enterrado en Z había estado preparándome para encontrar el cadáver...

GASPAR HEREDIA:

La cantante de ópera jamás estuvo alojada

La cantante de ópera jamás estuvo alojada legalmente en el camping, ni su nombre inscrito en el registro de recepción, ni en su vida pagó una peseta por dormir allí o en cualquier otro lugar. Esto no lo sabían las mujeres de la limpieza, ni los recepcionistas; sólo el Carajillo y yo. Su nombre era Carmen y desde el comienzo de la primavera hasta mediado el otoño pasaba sus días en Z, durmiendo en donde buenamente pudiera y la dejaran, bajo los pilotes de los puestos de helado de la playa o en las casetas de basura de algunos edificios. El Carajillo la conocía bien y parecía quererla, aunque cuando lo interrogaba acerca de ella sus respuestas solían ser ambiguas; debían tener la misma edad y eso, a veces, importa. El sustento se lo ganaba cantando en las terrazas y por las calles del casco antiguo. De su variado repertorio decía que era el único recuerdo que guardaba de los años gloriosos. Su triunfo absoluto se llamaba Nápoles y databa de una época fastuosa y terrible sobre la que jamás entraba en detalles, pero lo mismo cantaba a Mozart que a José Alfredo Jiménez. La gente la premiaba dándole monedas de cien pesetas. Más que una amistad la relación entre Carmen y la muchacha se asemejaba a un peculiarísimo juramento. A veces parecían madre e hija, o abuela y nieta, a veces dos estatuas puestas por casualidad la una junto a la otra. La muchacha respondía al nombre de Caridad y era la que todas las noches pasaba a la vieja de contrabando bajo la mirada distraída del Carajillo. Ambas compartían una canadiense cerca de las canchas de petanca y tenían por costumbre acostarse tarde y levantarse tarde. No resultaba difícil reconocer desde lejos la parcela de las dos mujeres; la basura, o mejor dicho una serie inclasificable de objetos usados e inútiles, no del todo desechados, se amontonaba formando conos de treinta centímetros de altura a lo largo del perímetro de la tienda, como almenas de una fortaleza miserable. Francamente era milagroso que no llovieran a diario las quejas. Tal vez los vecinos de Caridad eran turistas de paso o ya estaban hartos de hacerse mala sangre sin ningún resultado. En recepción la lista de morosos la encabezaba ella (debía dos meses) y según el peruano pronto le pedirían que abandonara el camping. ¿Y no sería mejor ofrecerle un trabajo? Los recepcionistas lo habían pensado, pero la decisión debía tomarla Bobadilla y éste, al parecer, le tenía miedo a la muchacha. Según el peruano no era infrecuente ver a Caridad armada con un cuchillo. Me negué a creerlo aunque sobre mi incredulidad se impuso una imagen llena de sugerencias: Caridad vagaba por el pueblo (que yo apenas conocía, pues casi no salía del camping) con un cuchillo de cocina debajo de la camiseta, los ojos borrosos contemplando algo que nadie podía atisbar. El cuchillo tenía una historia, según supe después. Caridad llegó al Stella Maris en compañía de un amigo, antes del comienzo de la temporada. Los primeros días se dedicaron a buscar trabajo. En aquel mes llovió como nunca, cuenta el Carajillo (yo estaba en Barcelona y recuerdo vagamente el sonido de la lluvia sobre la ventana de mi cuarto), y ya entonces Caridad empezó a toser y a adquirir su semblante de enferma. No tenían dinero y se alimentaban básicamente de yogures y frutas. A veces se emborrachaban con cerveza y se pasaban todo el día metidos en la tienda, quejándose y arrullándose. Pronto encontraron trabajo en un bar del Paseo Marítimo, los dos en la cocina, fregando platos, pero a los quince días Caridad regresó al camping a media jornada y no volvió a trabajar. Poco después se iniciaron las peleas. Una noche hubo una persecución hasta las cañas, el Carajillo escuchó ruidos desde la recepción y bordeando la piscina fue a ver qué ocurría. Encontró a Caridad llena de rasguños, tumbada en el suelo, inmóvil, casi sin respirar. No estaba muerta, como pensó el Carajillo; tenía los ojos abiertos y miraba la hierba y la tierra arenosa; tardó en darse cuenta de que alguien quería ayudarla. Otras veces los gritos provenían de la tienda y quien los escuchaba no podía decir a ciencia cierta si eran de dolor o de felicidad. El muchacho era pálido y siempre iba vestido con camisas de manga larga. Tenía una moto, que era el vehículo con el que habían llegado al camping, pero ya instalados allí raramente la usaron. A Caridad le gustaba caminar, caminar sin rumbo o quedarse absolutamente inmóvil; él tal vez prefería ahorrar el dinero del combustible. Ninguno de los dos pasaba de los veinte y tenían aspecto de desesperados terminales. Una noche ella apareció en la terraza con un cuchillo, sola, y a la mañana siguiente su amigo se marchó del Stella Maris para no volver. Al menos ésa era la versión más difundida, la que había escuchado Bobadilla cuando venía por las tardes a bendecir la marcha del negocio. Caridad pasaba poco tiempo en el camping. Una noche el Carajillo la vio llegar con Carmen y no dijo nada. A la noche siguiente les puso una sola condición para hacer la vista gorda: que la vieja no cantara. En la amistad de las dos mujeres se aliaban a partes iguales el azar y la necesidad: Carmen pagaba los cafés con leche, Caridad ponía la canadiense y un sitio para dormir; durante el resto del día se hacían compañía y derivaban de un rincón de Z a otro. La vieja se desgañitaba cantando, Caridad contemplaba a la gente, los parasoles, las mesas cubiertas de refrescos. Ambas odiaban la playa y el sol. En una ocasión la vieja, que era la única que hablaba, me confesó que se bañaban de noche, en los roqueríos, completamente desnudas. ¡La luna es buena para la piel, guapete! De madrugada, mientras escuchaba los ronquidos del Carajillo, imaginaba a Caridad arrodillada en la arena, desnuda, atenta a una tos que parecía surgir del mismo mar. Nunca conseguí que me sonriera, aunque hice todo lo posible. Antes de entrar a trabajar compraba cervezas, bocadillos y patatas fritas en el supermercado de la zona, para poder invitarlas por las noches, en la terraza. Una vez las esperé con un cartón de helado y tres cucharitas de plástico. El helado estaba casi derretido pero igual nos lo tomamos. La vieja agradecía estos detalles pellizcándome el brazo o poniéndome apodos. Para Caridad era como ver una película proyectada en el cielo. Con el paso de los días, el verano aportó una ración completa de turistas sobre Z y cada vez tuve menos tiempo para estar con ellas. Pareció como si con la llegada de la gente se alejaran, caminando hacia atrás, fuera del mundo. Una noche supe que Bobadilla y el peruano las habían puesto en la calle. El Carajillo salió del incidente con una regañina y allí acabó todo. La canadiense estaba ahora en el almacén, en prenda hasta que cancelaran la deuda. Aquella misma noche entré en el almacén sin que nadie me viera y busqué con mi linterna hasta encontrar la tienda, mal puesta en un rincón. Me senté junto a ella y metí los dedos entre los pliegues de la tela. Dentro del almacén olía a gasolina. Pensé que nunca más las vería...

ENRIC ROSQUELLES:
Encontré a un fontanero, a un lampista, a un carpintero

Encontré a un fontanero, a un lampista, a un carpintero, los coloqué a todos bajo las órdenes del único constructor de Z en el que podía confiar, un ser despiadado y mezquino, y puse en marcha el proyecto del Palacio Benvingut. Saqué dinero de donde sólo había piedras, nadie quiso verificar el destino de aquellas partidas o retazos de partidas, nadie, en este pueblo de desconfiados, se atrevió a desconfiar; yo no mentí, o al menos no mentí siempre. Logré que Pilar y tres concejales creyeran que mis trabajos serían beneficiosos para el pueblo. El constructor no tenía una idea cabal de lo que pretendía hacer (es un hombre de derechas, incluso de extrema derecha, y siempre temí un chantaje). ¿Por qué lo utilicé a él y no a otro? Cualquier otro se hubiera ido de la lengua, es evidente. En una biblioteca de Barcelona encontré el plano que buscaba. Lo dibujé con paciencia, hasta comprender su funcionamiento. Pronto empezaron a llegar obreros y la electricidad volvió al Palacio Benvingut. Entonces hice público, pero de forma vaga y modosa, como si pretendiera recibir más adelante los parabienes, el objetivo y el alcance de las reparaciones llevadas a cabo. Cifré en cinco años la conclusión de las obras y predije que éstas potenciarían las actividades de los siguientes departamentos: Servicios Sociales, Enseñanza, Ferias y Fiestas, Cultura, ¡Sanidad!, Participación Ciudadana, Juventud y ¡Protección Civil! Perdonadme que no contenga la risa. Cómo pudieron tragarse todo lo que les dije, es un misterio de la naturaleza humana. Sólo un chupatintas de Ferias y Fiestas se atrevió a preguntarme (ahora sé que sin malicia) si pensaba construir un refugio antinuclear en los basamentos rocosos del palacio. Lo fulminé con la mirada y el pobre hombre se arrepintió de haber hablado. ¡Qué inocentes y estúpidos fueron todos! En menos de un año el proyecto estuvo acabado. Para mantener la ficción y porque a largo plazo pensaba habilitar el palacio para el bien común (aunque ahora nadie me crea) conservé a un par de parados que siguieron limpiando otras alas del caserón, de ocho de la mañana a dos de la tarde. Por supuesto, apenas trabajaban, y yo lo sabía, pero los dejé hacer. De vez en cuando mandaba una camioneta cargada de pintura, o de tablones, o hacía que trasladaran, por ejemplo, la vieja mesa de ping-pong del Centro Abierto a uno de los salones del palacio, sólo para que no decayera el ritmo. Ni Pilar, que es inteligente, sospechó nada. Convergentes y comunistas pensaron que era un punto que nos íbamos a anotar en las próximas elecciones. Ahora todos dicen lo contrario, pero entonces mi seguridad los desarmaba, mi fuerza de voluntad era irresistible. El placer que recorría cada molécula de mi cuerpo parecía no tener fin. Placer mezclado con miedo, lo admito, como si acabara de nacer. Nunca antes me había sentido mejor, ésa es la verdad. Si los fantasmas existen, el de Benvingut estaba a mi lado...

REMO MORÁN:
Conocí a Nuria gracias a la Asociación Ecologista de Z

Conocí a Nuria gracias a la Asociación Ecologista de Z, club de no más de diez personas que tenía por costumbre celebrar sus reuniones en cafeterías y churrerías durante el invierno y en terrazas de hoteles y de bares durante el verano. En agosto no solían verse porque estaban todos de vacaciones. Álex era simpatizante del mencionado club y Nuria era amiga de una simpatizante, o algo por el estilo. Una noche fue escogido el Del Mar y como yo vivo allí fue inevitable vernos. Nuria estaba sentada junto a la ventana y nuestras miradas se encontraron y no se separaron, como suele decirse, desde el momento en que salí de la barra con una bandeja llena de cañas de cerveza rumbo a su mesa hasta que Álex me los presentó a todos. Decidí quedarme con ellos y escuchar la discusión sobre el estado de las playas y jardines de Z. Más tarde los seguí a una discoteca en Y, donde se celebraba no sé qué fiesta lunar o solar. Nuria y yo teníamos en común el que aquélla era nuestra primera reunión ecologista. El destino quiso que regresáramos de Y juntos, con Álex y otro chico, y que alguien, Álex o el otro chico, sugiriera que detuviéramos el coche en una de las calas para esperar el amanecer metidos en el mar. En realidad, sólo Nuria y yo nos bañamos; Álex se hallaba demasiado borracho y no salió del coche, y el otro chico se quedó sentado en la arena, con las piernas cruzadas, tal vez meditando en formas oscuras o tal vez dándole gusto a sus ojos con las piernas de Nuria, el increíble cuerpo de Nuria. ¿Se puede nadar y hablar? Sí, se puede, claro que se puede. Yo, la verdad, me canso mucho, fumo dos cajetillas diarias y no hago nada de ejercicio, pero aquella mañana seguí a Nuria doscientos, trescientos metros mar adentro, cuatrocientos metros, tal vez más, y pensé que no sería capaz de volver. Su pelo se mojaba por secciones, como si fuera una estatua, y cuando empezó a salir el sol era su cabeza lo que más brillaba en aquel mar siniestro que me estaba tragando. Al separarnos, Lola me había dicho: vete con una niña bonita, una niña de su papá, pero aprisa antes de que te hagas viejo. Algunas chicas dicen cosas peores cuando se separan. En ese momento, mientras sospechaba que no iba a tardar en hundirme, recordé las palabras de Lola y me dio mucha pena porque Nuria no tenía papá, y eso la excluía. En la discoteca habíamos hablado pero casi sin oírnos; puedo decir que nuestra primera conversación fue en el mar, y la sensación que tuve entonces, la certeza de que no iba a poder volver a la orilla, la premonición de la muerte por ahogo bajo un cielo azul mate, un cielo que parecía un pulmón en una tina llena de pintura azul, se mantuvo a lo largo de todas las conversaciones que siguieron. Volví a la orilla de espaldas, muy despacio, sintiendo de vez en cuando las manos de Nuria que tocaban mis hombros. Mientras me ayudaba no dejó de hablar de cosas bonitas, las cosas por las que según ella valía la pena esforzarse y trabajar. Recuerdo que mencionó una piscina y unas clases de natación tomadas a los cinco años. ¡Era, sin duda, una estupenda nadadora! El color del cielo había pasado del azul al rosa, un rosa de carnicero ilustrado, cuando llegamos a la orilla. Aquella misma tarde, mientras tomaba una siesta, como de costumbre, en mi habitación del hotel, soñé con su sonrisa fría-caliente y desperté dando un grito. Tres días después, a la hora de la comida, apareció en el Del Mar y se sentó a mi mesa. Ya había comido pero aceptó un café, sin azúcar, que dejó a medias. No tardé en descubrir que cuidaba su alimentación con particular severidad. Medía uno setenta y pesaba 55 kilos; por las mañanas se levantaba temprano y corría entre treinta minutos y una hora; jugaba tenis con asiduidad y había hecho danza clásica y moderna; no fumaba ni bebía alcohol; sabía cuántas calorías, proteínas, minerales y vitaminas contenía cada alimento; estaba matriculada en el Instituto Nacional de Educación Física, en el primer curso, aunque añadía tristemente que ya debería estar en el tercero, pero que los entrenamientos y las competiciones se lo habían impedido. Qué entrenamientos y qué competiciones fue algo que sólo supe bastante después, y no por falta de interés, precisamente, sino porque ella prefería hablar de otras cosas. La sobremesa se prolongó hasta que en el comedor sólo quedaron unas viejecitas vestidas de blanco que pronto se trasladaron a una mesa de la terraza a tejer crochet. Después de comerme un helado de vainilla (Nuria, con una sonrisa, rechazó todos los postres de la carta) subimos a mi habitación e hicimos el amor. A las seis de la tarde nos separamos. La acompañé hasta la calle donde tenía aparcada su bicicleta de carrera, cromada y refulgente. Antes de montar se hizo un moño sobre la nuca con una cinta negra y dijo que me llamaría por teléfono. Sólo atiné a asegurar que podía hacerlo cuando quisiera, a cualquier hora del día o de la noche. Probablemente puse demasiado énfasis. Eso la molestó un poco y desvió la mirada. Tuve la impresión de que pensaba que iba demasiado rápido. ¿Estás enamorado de mí? No te enamores, no te enamores, parecía querer decirme. Me sentí frágil y corrido como un adolescente...

GASPAR HEREDIA:

Comencé a acostumbrarme a caminar por el pueblo

Comencé a acostumbrarme a caminar por el pueblo con la remota esperanza de encontrar a Caridad. Entonces Z ya estaba llena de turistas y la charanga en las calles era permanente. El Carajillo pronto se dio cuenta de que cada mañana, en vez de irme a dormir a mi canadiense, desayunaba con él en un bar de la zona de los campings y después me lanzaba a recorrer las calles del pueblo. Pero de Caridad no encontraba ni un rastro y hasta la vieja cantante de ópera, que según todos los indicios se ganaba los pesos en la calle, había desaparecido. En más de una ocasión creí escucharla y corrí hacia la terraza o hacia el callejón de donde parecía provenir su voz, pero generalmente eran turistas-cantores o la radio que tocaba una de Rocío Jurado. Mi horario empezó a trastocarse. Trabajaba de diez de la noche a ocho de la mañana y dormía desde el mediodía hasta las seis de la tarde, aunque con el aflujo masivo de turistas dormir no era fácil. Poco a poco comencé a acostarme más tarde, hasta que mi hora de dormir se encontró con mi hora de entrar a trabajar. El Carajillo, por supuesto, lo percibió en el acto y no le importó que descuidara mis tareas de vigilante en provecho de mi sueño: dormía en el sillón de cuero de la recepción en tandas de una o dos horas que intercalaba con paseos por el camping, paseos que indefectiblemente acababan en la parcela que había ocupado Caridad. Allí solía sentarme bajo un pino, en el linde de las canchas de petanca, con la linterna apagada, y volvía a ver sus ojos borrosos y su silueta huesuda que se perdía en dirección a las cañas, en dirección a las luces de los coches que transitaban fuera del camping. Leer poesía en estos casos no es un consuelo. Ni emborracharse. Ni llorar. Ni un clavo saca otro clavo. Así que retomé con mayor energía mis caminatas por Z y rehíce mis horarios: dormía de nueve de la mañana a tres de la tarde y al despertar (el calor me despertaba, el calor y mi transpiración y la sensación de estar enterrado) salía de inmediato y discretamente, evitando pasar por recepción, no fueran a verme y a endosarme un trabajo de los que nunca faltaban. Ya afuera me sentía libre, caminaba a buen paso por la avenida de los campings hasta el Paseo Marítimo y luego me internaba en el casco antiguo, donde desayunaba tranquilamente leyendo el periódico. Acto seguido comenzaba a buscarlas, suponiendo que Caridad y Carmen aún estaban juntas, a cepillar los barrios de Z de norte a sur, de este a oeste, siempre sin resultado, siempre hablando solo y recordando cosas que más valía no recordar, haciendo planes, creyéndome otra vez en México, envuelto en cierta energía inconfundiblemente mexicana, persuadido de que ambas habían abandonado el pueblo. Pero un día me detuve en la explanada del puerto, de regreso al camping, y la vi: estaba entre el público que se aglomeraba junto a la playa para presenciar una exhibición de alas-delta. La reconocí de inmediato. Sentí un bienestar en el estómago, ganas de avanzar hacia ella y tocarle la espalda con un dedo. Algo que entonces no supe descifrar me advirtió que no lo hiciera. Permanecí fuera de la media luna de espectadores, todos con la vista fija en el cielo, que se congregaban alrededor de la tarima del jurado. De la colina que domina el pueblo surgió un ala-delta rojo que se confundió con el color del atardecer, descendió por las faldas de la colina, se elevó antes de llegar al puerto de los pescadores, sobrevoló el club de yates y por un momento pareció lanzado hacia levante, mar adentro: el piloto, una sombra encogida, apenas se divisaba debido a la inclinación del aparato. Arriba, en el castillo, ya se preparaba otro participante. Jamás había visto nada igual. De pronto me sentí relajado en medio de las penumbras que poco a poco iban estableciendo una noche de verdad dentro de la noche de verano. Hubiera podido pasar por un turista; por lo demás, nadie me prestaba la menor atención. El ala-delta rojo ya estaba a pocos metros de la meta circular establecida en la playa; algunas voces intentaron alentar al piloto en el último tramo. Desde el castillo despegó entonces el ala-delta blanco, el último concursante, anunciaron por megafonía, un francés. De inmediato una corriente de aire lo elevó muy por encima de la rampa. Caridad llevaba camiseta negra de mangas largas y pantalones negros; como todos, había dejado de mirar al primer piloto para observar las evoluciones del que se acababa de tirar; éste parecía tener problemas para controlar el aparato. Durante un segundo, algo en Caridad, en la cabellera y en la espalda de Caridad, volvió a producirme una sensación de extrañeza y peligro apenas perceptible. Los aplausos me avisaron que el piloto del ala-delta rojo había tocado tierra. Decidí acercarme un poco más. En el entarimado los jurados consultaban sus relojes y bromeaban, los tres eran muy jóvenes. Grupos de chicos y chicas, a lo largo de la explanada, recogían ceremoniosamente el equipo de los que ya habían participado. Un tipo que supuse sería un piloto, aunque no ciertamente el piloto que acababa de aterrizar, estaba sentado en la arena, muy cerca de la orilla húmeda, con las manos sobre las rodillas y la cabeza hundida. A mi lado alguien comentó que el ala-delta blanco bajaba de la colina a la playa y no del mar a la playa como sería lo correcto. En los rostros de algunos espectadores, los más duchos en la materia, creí notar una pizca de alarma, también una pizca de regocijo. Evidentemente, aquél no era el camino para acercarse a la franja de playa donde esperaban los jueces. Arriba, el piloto intentaba ladear el aparato hacia el puerto para luego salir al mar, pero perdía altura y no podía corregir la marcha. Salí del grupo y busqué un lugar en el jardín junto a la explanada desde donde pudiera seguir contemplando a Caridad. Entre los setos y los macizos de flores unos niños jugaban completamente ajenos a lo que ocurría en la playa; sentados en los bancos, tríos de ancianos miraban los mástiles de los yates que sobresalían del largo muro que ocultaba el atracadero. De golpe, el ala-delta blanco volvió a elevarse y en un instante se colocó perpendicular al cada vez más numeroso público, de tal modo que para observarlo era necesario levantar completamente la cabeza. Inerte, el objeto blanco parecía subir más y más, como si estuviera encerrado en un tubo de aire. En ese momento Caridad se separó del grupo. Junto a mí un tipo que llevaba a un niño y a una niña de la mano observó que el piloto estaba pataleando, perdida ya toda la compostura deportiva. Atravesé el jardín rumbo a las terrazas de los restaurantes, a contracorriente de la gente que acudía incluso dejando las mesas sin pagar, otros pagando apresuradamente, los más con los vasos en las manos, a contemplar al piloto suspendido en el aire y que desde ese punto de la calzada sólo se podía adivinar a través de las ramas de los árboles. Entonces volví a verla: estaba de espaldas al mar, mirando la fachada de un restaurante, muy quieta, como si no tuviera intención de cruzar la calle. ¿Esperaba a alguien? ¿Y qué era el bulto que despuntaba en su cintura y que la camiseta no conseguía disimular del todo? Cuando Caridad saltó hacia el paseo y se perdió por una de las calles laterales supe sin ninguna duda (más bien con un escalofrío y un retortijón en el estómago) que lo que llevaba entre el cinturón y la camiseta era un cuchillo. Comencé a seguirla en el preciso momento en que el piloto caía dando vueltas, perdido todo control, hacia la playa, entre los gritos de los espectadores. No miré hacia atrás. Salvé el paseo y me interné por una calle estrecha, con edificios de departamentos a cada lado. De un portal salió un grupo de franceses de mediana edad, todos vestidos de fiesta, y por un instante creí que la había perdido. Al llegar a la esquina la vi: estaba detenida frente a una sala de videojuegos. Me detuve, sin remedio, y esperé. A pocos metros de allí escuché la sirena de una ambulancia, que seguramente iba en busca del piloto. ¿Habría muerto?, ¿estaría mal herido? Sin ningún aviso, y sin dar señales de haberme visto, Caridad reemprendió la marcha y a partir de entonces se detuvo frente a todas las tiendas, incluso en las puertas de los restaurantes, cada vez más escasos a medida que nos alejábamos de la playa. No niego que por mi cabeza pasó la idea de que estaba siguiendo a una atracadora. Síndrome de abstinencia, robo a la desesperada. Mi situación, de consumarse el atraco, iba a ser comprometida. ¿Acaso no me tomarían por un cómplice? Pensé en mis papeles —en la falta de papeles— y en lo que podría inventarle a la policía. A veinte metros de mí Caridad detuvo a un viandante, le preguntó la hora (el tipo la miró como a un bicho raro) y torció a la izquierda, rumbo al muelle de los pescadores. Mucho antes, al llegar a la playa del Paseo de la Maestranza, se detuvo y se sentó en el contrafuerte. Así, con las piernas colgando y la espalda arqueada, el bulto que formaba el cuchillo era mucho más notorio. Pero la noche y el color de la camiseta la ayudarían a disimularlo. Me oculté en medio de unos botes en reparación y encendí un cigarrillo, no tenía idea de qué hora podía ser pero me sentía descansado. Desde mi refugio podía contemplarla con total impunidad: parecía tristísima, como un árbol que de pronto hubiera crecido en el contrafuerte, un misterio de la naturaleza. Sin embargo, cuando se levantó impulsada por un resorte seco y exacto esta sensación se desvaneció quedando en su lugar sólo un vestigio de foto movida y la única certidumbre de estar solo. Caridad deshizo el camino, pero esta vez por la vereda opuesta, sorteando las mesas de las terrazas, a veces entrando en los locales calientes y demasiado iluminados, con un ritmo lento y elástico en el que se presentía una voluntad de bailarina, una fortaleza que se contradecía con la extrema delgadez de sus miembros. En una de estas terrazas estuve a punto de perderla: ella se introdujo en el local y yo me quedé afuera, parapetado tras el tablón de precios, y de pronto mis ojos se encontraron con los ojos de Remo Morán sentado en una de las mesas en compañía de dos tipos muy bronceados. Por un segundo me sentí atrapado, a esa hora yo debía estar trabajando, y la mirada de Remo pareció alzarse como un ectoplasma y darme un martillazo en la frente, pero la verdad es que miraba como los dormidos, como los que están soñando, probablemente tampoco escuchaba las palabras de los tipos bronceados, y en ese momento pensé: se está muriendo o es muy feliz. En cualquier caso di media vuelta, volví a cruzar el paseo y esperé en los jardines. Al poco rato se puso a lloviznar. Cuando Caridad salió del restaurante su paso era distinto, más decidido y largo, como si el paseo hubiera terminado y ahora tuviera prisa. La seguí sin vacilar (¿nadie en el interior del restaurante se había dado cuenta de que llevaba un cuchillo?) y paulatinamente nos fuimos alejando de las zonas iluminadas del centro. Pasamos por el barrio de los pescadores, subimos por una empinada calle flanqueada de chalets a cuyo término se alzaba una escuela de cuatro pisos, moderna y sórdida, con ese aire de edificio inacabado que tienen todas las escuelas, y empezamos a bordear el camino, ya sin ningún tipo de construcciones, de las calas, en dirección a Y. De vez en cuando los faros de los coches me mostraban la silueta empequeñecida de Caridad avanzando sin concederse un respiro. En dos ocasiones oí voces masculinas, gritos proferidos por los ocupantes de algún coche que de todas maneras no llegó a detenerse. Es posible que me vieran. Es posible que vieran a Caridad y tuvieran miedo. Sólo el viento, entre los árboles, nos acompañó hasta el final. Así anduvimos durante mucho rato. En cada recodo aparecía, rayado por una claridad lechosa, el mar, y en él las nubes, las rocas, la arena de las playas de Z. Al llegar a la tercera cala, Caridad dejó la carretera comarcal y se desvió por una especie de camino vecinal de tierra. Había dejado de llover y desde lejos el caserón era visible. Entonces me enganché con algo y caí al suelo. Caridad se detuvo durante unos instantes junto al portón de hierro, antes de abrirlo y desaparecer. Me levanté con cuidado, sintiendo que las piernas me temblaban. Ni una sola luz dentro de la casa delataba la presencia de moradores. El portón de hierro había quedado entreabierto. Al meter la cabeza intuí los restos de un jardín enorme, una fuente semiderruida, la maleza que crecía por todas partes. Un sendero de piedra conducía a una especie de porche vetusto y de varios niveles. Allí descubrí que la puerta principal también estaba abierta, y creí escuchar un sonido, una música levísima que no podía provenir sino del interior del caserón. A esta conclusión llegué, detenido en el porche, la mano izquierda apoyada en el marco de la puerta, la derecha colocada de bocina en el oído, convertido en una estatua mojada por la lluvia, hasta que decidí entrar. El recibidor, o lo que creí era un recibidor, vacío salvo por unas cajas amontonadas en un rincón, se alargaba hasta una puerta de vidrio. Cuando mis ojos se habituaron a la oscuridad me colé tratando de producir el menor ruido posible. Al abrir la puerta de vidrio la música llegó con claridad. Delante encontré un corredor que a los pocos pasos se bifurcaba. Escogí el camino de la izquierda. Aunque las puertas estaban abiertas en las habitaciones reinaba una negrura absoluta. No así en el pasillo, iluminado en uno de sus lados por un enorme ventanal que corría ininterrumpidamente a lo largo de la pared y que daba a un patio interior que, al asomarme, inferí a un nivel mucho más bajo que el jardín de la entrada. Finalmente el pasillo se ensanchaba en una sala circular parecida a la cabina de mando de un submarino imposible, desde donde partían dos escaleras, una hacia el piso superior y la otra hacia el jardín hundido que ya había tenido ocasión de ver. La música salía de allí. Descendí. El piso era de mármol y las paredes estaban ornadas con relieves de yeso que el abandono se había encargado de hacer irreconocibles. Algo se movió entre la maleza. Tal vez una rata. De todas maneras mi atención se centraba ahora en una puerta de doble hoja. De allí provenía la música y también un aire helado que de golpe me secó el sudor del rostro. En el interior, iluminada por cuatro focos suspendidos de unas vigas gigantescas, una muchacha patinaba sobre una pista de hielo...

ENRIC ROSQUELLES:
El coche lo dejaba aparcado debajo del viejo parral

El coche lo dejaba aparcado debajo del viejo parral, el parral romano de Benvingut que había sobrevivido al paso de los años y seguía allí, cubierto de polvo pero de pie. Nuria llegaba a eso de las siete, en bicicleta, y yo casi siempre estaba en la puerta, sentado en una silla de mimbre que había encontrado en una de las habitaciones y que tras limpiar y desinfectar coloqué en un sitio fresco y sombrío desde el cual podía ver la bicicleta de Nuria cuando aparecía por la carretera de Y, luego durante un trecho los árboles la ocultaban, hasta que volvía a aparecer por el largo camino que llevaba directamente al palacio. Por supuesto, cuando la pista estuvo terminada, nos veíamos a diario. Yo solía llevar algo de fruta, melocotones, uvas, peras, y un termo de té amargo, y el radiocasete que Nuria utilizaba en sus entrenamientos. Ella traía un bolso deportivo con su traje y sus patines y una botella de agua. También tenía por costumbre llevar libros de versos, uno diferente cada tres días, que hojeaba en los descansos, apoyada sobre una de las muchas cajas de material que había preferido no sacar del galpón para no despertar suspicacias. ¿Quién más conocía la existencia de la pista? Bueno, podría decirse que nadie y muchos. Todos en Z sabían algo, un poco, pero nadie tuvo la suficiente inteligencia como para relacionar los fragmentos de información en un todo coherente. Engañarlos fue fácil. En el fondo, creo que a nadie le preocupaba lo que sucediera en el palacio o con el dinero. Sí, el dinero les importaba, cómo no les iba a importar, pero no al grado de hacer horas extra para investigar su destino. De todas maneras, siempre fui prudente. Ni siquiera Nuria sabía toda la verdad, a ella le dije que la pista sería de utilidad pública y eso fue todo, no hizo más preguntas, aunque era obvio que durante aquel verano sólo nosotros fuimos al Palacio Benvingut. Claro que Nuria tenía sus propios problemas y yo eso lo respetaba. Dicen que el amor hace a las personas generosas. No sé, no sé; a mí sólo me hizo generoso con Nuria, nada más. Con el resto de la gente me volví desconfiado y egoísta, mezquino, maligno, tal vez porque era consciente de mi tesoro (de la pureza inmaculada de mi tesoro) y lo comparaba con la putrefacción que los envolvía a ellos. En mi vida, lo digo sin miedo, nada hubo semejante a las meriendas-cenas que tomamos juntos en las escalinatas que descienden del palacio al mar. Ella tenía una manera, no sé, única de comer fruta con los ojos perdidos en el horizonte. Aquellos horizontes de auténtico privilegio. Casi no hablábamos. Yo me acomodaba un escalón por debajo y la miraba, aunque no mucho, mirarla demasiado a veces era doloroso, y bebía mi té con delectación y parsimonia. Nuria tenía dos chándals, uno azul con rayas diagonales blancas, el oficial, creo, del equipo olímpico de patinaje, y uno negro ala de cuervo que resaltaba su pelo rubio y su cutis perfecto, arrebolado por el esfuerzo, de muchacha de Botticelli; este último era un regalo de su madre. Para no mirarla a ella yo miraba los chándals y aún recuerdo cada pliegue, cada arruga, lo abombado que estaba el azul en las rodillas, el olor delicioso que desprendía el negro sobre el cuerpo de Nuria cuando la brisa del atardecer nos evitaba cualquier palabra. Olor a vainilla, olor a lavanda. A su lado, por supuesto, debí desentonar. A nuestras citas diarias yo acudía directamente del trabajo, no lo olvidéis, y a veces no tenía tiempo de quitarme el traje y la corbata. Otras veces, cuando Nuria tardaba en aparecer, sacaba del maletero unos pantalones vaqueros y una camiseta deportiva gruesa y holgada, una Snyder americana, y me cambiaba los zapatos por unos mocasines Di Albi que se llevan sin calcetines, aunque a veces olvidaba quitármelos, todo esto bajo el parral, sudando y escuchando el ruido de los insectos. Nunca quise usar mi chándal delante de ella. Los chándals me hacen ver el doble de gordo de lo que soy, me ensanchan cruelmente la cintura y hasta temo parecer más pequeño. En una ocasión, je je, Nuria quiso que patinara un rato con ella. Perdonad que me ría. Supongo que tenía ganas de verme en medio de la pista y con ese propósito aquella tarde llevó otro par de patines e insistió machaconamente en que me los pusiera; incluso mintió, ella, que nunca decía una mentira, dijo que para el paso que debía ensayar necesitaba a una persona a su lado. Nunca la había visto así, como una niña caprichosa y enfurruñada, si se quiere hasta un poquito déspota, pero lo atribuí al cansancio, a la rutina, y tal vez a la tensión nerviosa. Su fecha clave se acercaba y aunque yo le decía que patinaba maravillosamente bien, quién era yo, en realidad, para saberlo. Lo cierto es que nunca me puse los patines. Por cobardía, por miedo al ridículo, por miedo a caerme, porque la pista estaba allí por ella y no por mí. Eso sí, alguna vez soñé que patinaba. Si hay tiempo y me dejáis, os lo contaré. Tampoco hay mucho que contar, simplemente estaba allí, en medio de la pista, con los patines en mis pies, y alrededor todo era tal como hubiera llegado a ser si no me descubren, con butacas nuevas y cómodas a los lados de la pista, una sala de duchas y masajes, un vestuario reluciente, y todo el Palacio Benvingut brillaba en mi sueño, y yo podía patinar, dar vueltas y saltos, y me deslizaba por el hielo montado en un silencio absoluto...

REMO MORÁN:

De la segunda visita de Nuria al hotel

De la segunda visita de Nuria al hotel guardo muy pocas imágenes precisas. Llegó al Del Mar a la misma hora que la primera vez, a la hora de la comida, pero no tomó café ni quiso subir a mi habitación. El hotel la ahogaba y salimos. Dentro del coche el que se sintió ahogado fui yo; manejo muy mal, no me gustan los coches, el que tengo más que nada lo utilizo para las compras del hotel, que por otra parte no hago personalmente. Durante un rato estuvimos dando vueltas por caminos del interior; el calor era asfixiante y los dos sudábamos copiosamente sin decirnos una palabra. De pronto me sentí muy triste porque pensé que aquélla era la visita de la ruptura. Pinos, huertas, picaderos vacíos, viejas tiendas de cerámica al por mayor, desfilaban con una lentitud exasperante. Finalmente, en medio de los bostezos, Nuria dijo que volviéramos al hotel. Al llegar subimos directamente a la habitación. Recuerdo su piel bajo la ducha caliente, ¡yo estaba fuera, pero el vapor me hacía sudar a mares! Tenía los ojos cerrados con fuerza, como si entre las gotas de agua se colara algo que sólo ella percibía. Una especie de combate entre su piel y las innumerables gotitas quemantes. Las piernas de Nuria, perfectas, dejaban una estela sobre las baldosas. Encendí el aire acondicionado y la observé mientras salía a la terraza y contemplaba el mar. Antes de meterse en la cama revisó mis libros y los armarios. No había gran cosa. Busco micrófonos, explicó. Una característica de los movimientos de Nuria era que aun mucho después de haberse ido parecían seguir vibrando de forma tenue en la habitación. Debajo de mí, inesperadamente, lloró, y eso me detuvo de golpe. ¿Te hago daño? Sigue, dijo. En otro tiempo hubiera recogido sus lágrimas con la punta de la lengua, pero los años no pasan en balde, inmovilizan. Fue como si de una patada en el culo me lanzaran hacia otro cuarto, un cuarto donde no es necesario el aire acondicionado. Descorrí las cortinas, sólo un poco, y telefoneé al restaurante del hotel pidiendo que subieran dos tés con limón; luego me senté en el borde de la cama y acaricié su hombro sin saber qué hacer. Nuria se bebió toda la tetera, sin pausa y con los ojos secos. Por las noches, al acostarme, me acostumbré a hablar como si ella estuviera en la habitación; la llamaba Luz Olímpica y cosas así de imbéciles, pero que me hacían reír, a veces incluso retorcerme de risa, y que procuraban a mi espíritu una tranquilidad, no, una transparencia, que hacía mucho no experimentaba. Nunca hablamos de amor, ni de nada que asociara lo que hacíamos de cuatro a siete con el amor. Había tenido un novio, un chico de Barcelona, y a menudo me contaba cosas sobre él. Hablaba del tipo de una forma rara, distante, como si su fantasma se paseara alrededor: ensalzaba sus virtudes de deportista, las horas pasadas en el gimnasio, su entrega completa. Muchas veces pensé que todavía lo quería. Algunas tardes mi habitación parecía una caldera a punto de estallar. Según Álex no se puede mantener una relación entre cuatro paredes, uno de los dos termina siempre por hastiarse. Yo decía que sí, pero qué podía hacer. Siempre que la invité a salir recibí una respuesta negativa; por las noches estaba demasiado cansada, o lo que fuera, y tampoco yo, en el fondo, tenía ganas de dar vueltas por las discotecas. No obstante, una noche, unas dos semanas después de conocernos, salimos juntos y todo marchó de maravilla. Una velada breve y feliz. Al acompañarla a su casa, a la que nunca me invitó a entrar, le dije que su belleza me conturbaba. Declaración imprudente, pues bien sabía yo que no le gustaba tratar ese tema. Su respuesta la recuerdo como el hecho más significativo de aquella noche. (En realidad la noche en conjunto no fue más que una sucesión de risas.) Dijo, con un tono fanático que no dejaba lugar a la más mínima duda, que la mujer más hermosa que había conocido era una patinadora de la Alemania Democrática, la campeona mundial, Marianne no sé cuántos. Eso fue todo, pero yo me quedé helado. Sin duda Nuria era una chica que sabía lo que quería. Otra tarde me preguntó, con un interés que creí sincero, qué era lo que me retenía en Z, pueblo estrecho donde ni siquiera había una librería o un cine decente. Le dije que precisamente aquí tenía mis negocios (mentira podrida). Tu negocio es la literatura, dijo ella, y en función de eso deberías vivir en Barcelona o Madrid. Pero entonces dejaría de verte, respondí. Ella dijo que igual iba a dejar de verla porque esperaba reintegrarse muy pronto en el equipo olímpico de patinaje y recuperar su beca. ¿Y si eso no sucede, qué harás? Nuria me miró como a un niño y se encogió de hombros, terminar la carrera en el INEF, tal vez, dar clases de patinaje en alguna ciudad grande de Europa o en alguna universidad norteamericana, pero en el fondo estaba segura de que iba a volver al equipo. Para eso trabajo, decía, para eso me esfuerzo...

GASPAR HEREDIA:
La música que se escuchaba era la *Danza del Fuego*

La música que se escuchaba era la *Danza del Fuego*, de Manuel de Falla, y al compás de ésta pude ver el torso de la patinadora con los brazos en alto, mimando muy mal (aunque dentro de la torpeza latía algo) el acto de ofrecer un regalo a una deidad minúscula e invisible. El resto: la pista, las piernas de la muchacha, los patines de plata, quedaban parcialmente ocultos tras las cajas de madera que estaban allí para bloquear el paso y producir, observadas desde la pista, la impresión de un anfiteatro, aunque desde mi perspectiva y a medida que las rodeaba, las cajas más bien semejaban un laberinto en miniatura. Así que inicialmente sólo pude ver la espalda de la chica, sus brazos curvados en un abrazo etéreo y los reflectores que iluminaban la pista y que me recordaron las luces de un cuadrilátero de boxeo en Tijuana. El suelo era de cemento, con un ligero desnivel hacia el centro, y las paredes se levantaban sobre piedras desiguales y ahumadas. Me deslicé por los recovecos de las cajas, algunas aún conservaban su origen de embalaje, hasta encontrar un observatorio mejor. En el borde del área iluminada, sentado en una silla de playa a colores, un tipo gordo se entretenía leyendo documentos sobre los que iba dejando anotaciones con un plumón; a sus pies estaba el tocacintas, con el volumen alto, desparramando por todos los rincones del galpón las notas de la *Danza del Fuego*. El gordo parecía muy concentrado en lo que hacía, aunque de tanto en tanto levantaba la vista y observaba a la patinadora. A la luz de los focos hice un descubrimiento que aumentó mi perplejidad: en uno de los ángulos de la pista una escalerilla se hundía en el hielo y entrelazados a la escalerilla un manojo de cables de colores desaparecía también bajo la capa blancoazulada donde realizaba sus cabriolas la extraña patinadora. Pese al frío sentí algunas gotas de sudor que resbalaban por mi rostro. De pronto el gordo dijo algo. La chica, ajena a todo, siguió patinando. El gordo volvió a hablar, esta vez una parrafada más larga, y la chica, patinando hacia atrás, le respondió con una frase breve, como si la cosa no fuera con ella. En parte porque hablaban en catalán y en parte porque estaba demasiado nervioso, no entendí lo que decían, pero la impresión de hallarme en el interior de una caverna se acentuó. La patinadora se había puesto a ensayar saltitos y genuflexiones cuando la sombra del gordo salió de la oscuridad y se aproximó al borde de la pista. Quieto, con las manos en los bolsillos, su cabeza notablemente redonda giraba con lentitud a la zaga de la chica, los ojos brillantes, reconcentrados y sin parpadear. La pareja, sin duda singular, ella toda gracia y velocidad, él como uno de esos muñecos que siempre están de pie, produjeron en mi espíritu, además de inquietud, una suerte de alegría silenciosa y feroz que me ayudó a no levantarme y salir huyendo. Sólo estaba seguro de que ellos no me veían y que en algún lugar se encontraba Caridad, así que me dispuse a aguantar sin moverme todo el tiempo que hiciera falta. La patinadora comenzó a girar sobre sí misma, en el centro de la pista, a una velocidad cada vez mayor. La barbilla en alto, las piernas juntas, la espalda arqueada, a primera vista parecía un trompo que no carecía de encanto. De pronto, cuando el gordo y yo, es de suponer, esperábamos el final del número, salió despedida hacia un extremo de la pista, dueña de sus movimientos, en un gesto que más tenía de dicha que de disciplina. El gordo aplaudió. Maravilloso, maravilloso, dijo en catalán. Palabras de ese tipo (meravellós, meravellós) sí que las entiendo. La patinadora aún dio dos vueltas más a la pista antes de detenerse donde el gordo la esperaba con una toalla. Luego escuché el clic del tocacintas al apagarse y el gordo volvió al área en penumbra y se puso de espaldas mientras la patinadora se vestía. La verdad es que el acto de vestirse consistía sólo en ponerse un chándal por encima de la malla, pero el gordo igual mantuvo su actitud púdica. La patinadora, tras guardar los patines en un bolso deportivo, dijo algo que no entendí. Su voz era semejante al terciopelo. El gordo se volvió y como si midiera sus pasos se aproximó a la zona barrida por los reflectores. ¿Qué tal he estado?, dijo ella con la vista baja y otro tono de voz. Maravillosa. ¿No crees que ha sido demasiado lento? No, me parece que no, pero si tú crees... Ambos sonreían, pero de manera muy distinta. La chica suspiró. Estoy agotada, dijo, ¿me llevarás a casa? Por supuesto, tartamudeó el gordo, los labios curvados en una sonrisa tímida, espérame en el pasillo, voy a apagar las luces. La chica salió sin decir nada. El gordo se metió detrás de una pila de cajas y momentos después la pista quedó completamente a oscuras. Alumbrándose con una linterna el gordo volvió a aparecer y se marchó. Los escuché subir las escaleras. ¿Y ahora qué hago?, pensé. Desde el techo se filtraba una débil claridad. ¿La luna? Más bien luciérnagas extraviadas. Un ruido que hasta entonces había pasado inadvertido llamó mi atención: en algún lugar del caserón funcionaba un generador eléctrico a toda potencia. ¿Para mantener la pista de hielo? Incapaz de comprender muchas de las cosas que me llevaron hasta allí, me senté en el suelo helado, la espalda apoyada contra una caja, e intenté ordenar mis ideas. No pude. Un ruido distinto al del generador me puso en guardia. Alguien, en el borde de la pista, encendió una cerilla y las sombras instantáneamente comenzaron a bailotear sobre las paredes del galpón. Me levanté y miré junto a la pista, que ahora semejaba un espejo: de pie, con la cerilla encendida en una mano y el cuchillo en la otra, estaba Caridad. Por suerte la cerilla no tardó en consumirse y la oscuridad recuperada surtió en mí el efecto de un tranquilizante. Probablemente, pensé, todo el tiempo había estado oculta en alguna de las habitaciones y ahora venía a cerciorarse de que la patinadora y el gordo ya no estaban. Probablemente ella también era una visitante subrepticia en aquel caserón. Al encenderse la siguiente cerilla comprendí que ella estaba al acecho y me supo mal no salir de mi escondite, pero temí asustarla más con mi aparición repentina que dejando las cosas como estaban. También, en mi decisión de permanecer oculto, tuvo considerable parte de culpa el color del cuchillo, cada vez más parecido al color del hielo. Tras parpadear repetidas veces, la cerilla volvió a apagarse y esta vez no hubo intervalo de oscuridad: de inmediato encendió otra y, como si de pronto sufriera un acceso de vértigo, retrocedió bruscamente del borde de la pista. Un suspiro acompañó el rápido fin de la cerilla. Sólo una vez había escuchado a alguien suspirar de esa manera, fuerte, desgarradamente, *suspirar con los pelos*, y sólo de recordarlo me sentí enfermo. Me acurruqué entre las cajas hasta que los únicos ruidos volvieron a ser el generador eléctrico y mi respiración agitada. Durante mucho rato opté por no moverme. Cuando noté que una de mis piernas daba signos inequívocos de acalambramiento inicié la retirada concentrando todas mis fuerzas en evitar que el pánico me lanzara a la carrera por los pasillos retorcidos del caserón. Sorprendentemente encontré el camino sin ninguna dificultad. La puerta estaba cerrada con llave. Salté por una ventana. Ya en el jardín ni siquiera intenté abrir el portón de hierro, al primer impulso me encaramé sobre el muro poniendo en el empeño la vida...

ENRIC ROSQUELLES:
Iniciamos los entrenamientos a principios de verano

Iniciamos los entrenamientos a principios de verano. Perdón, Nuria comenzó a entrenarse a principios de verano, y ambos pensamos que trabajando duro durante julio, agosto y septiembre podría pasar la prueba de selección que su federación hacía en octubre, en la Pista de Hielo de Madrid, y que no importaría cuán compinchados estuvieran los entrenadores, jueces y dirigentes, la maestría o madurez o lo que queráis que Nuria hubiera adquirido o perfeccionado en aquellos meses necesariamente los dejaría con la boca abierta y sin otra posibilidad que readmitirla en el equipo olímpico, que en noviembre se desplazaba hacia Budapest, si no me equivoco, para el Anual Europeo de Patinaje Artístico. Si he de ser sincero, la posibilidad de no ver a Nuria por lo menos durante dos meses (octubre en Madrid con concentración y entrenamientos diarios, y noviembre en Budapest) me hacía sangrar el corazón. Por descontado, cuidaba de no exteriorizar estos sentimientos. Cabía la posibilidad de que en octubre fuera excluida definitivamente, pero prefería no pensar en ello porque intuía el dolor que eso le acarrearía, y desconocía completamente cuál podía ser su reacción. ¡Honestamente, no quería que la rechazaran! ¡Sólo deseaba su felicidad! ¡La pista había sido construida expresamente para que se preparara a conciencia y volviera a ser seleccionada! Ahora que ya nada tiene remedio, sé que hubiera debido contratarle un preparador, por ejemplo, pero incluso si se me hubiera ocurrido entonces, ¿cómo justificar los gastos de un entrenador de tal especialidad? ¿Y de dónde sacarlo? En verano abundan los profesores de inglés, no así los preparadores de patinaje artístico. En alguna ocasión, si la memoria no me falla, Nuria habló de un polaco exiliado, un tipo joven todavía, que trabajó durante un semestre para la Federación Catalana, pero al que habían rescindido el contrato por prácticas contrarias a la ética profesional. ¿Qué había hecho el polaco? Nuria no lo sabía, ni le importaba. Confieso que yo lo imaginé haciendo el amor o tal vez violando a una patinadora o a un patinador, no sé, en los vestuarios. Malas ideas, como siempre. En cualquier caso, el polaco vagabundeaba por Barcelona y hubiéramos podido buscarlo, pero ninguno de los dos tuvo tiempo, o ganas, y desechamos la idea de inmediato. No sé por qué durante estas noches de insomnio me pongo a pensar en el polaco, y aunque nunca lo conocí, ni lo conoceré, me parece muy próximo, casi un amigo. Acaso sea porque de alguna manera yo también desempeñé el oficio de entrenador y aunque nunca pude retener ni siquiera las palabras que designan los distintos pasos y figuras del patinaje artístico, imparcialmente hablando, no lo hice del todo mal. Quiero decir como entrenador, o como la referencia que suplía al entrenador, en gran medida un símbolo paterno. Supe escucharla, darle ánimos para proseguir cuando la pereza o el cansancio la atenazaban, supe impregnar con un cierto método y una cierta disciplina nuestras sesiones diarias de trabajo, me responsabilicé de todas las cuestiones engorrosas y colaterales para que ella sólo pensara en patinar y nada más que patinar. Precisamente esta manía perfeccionista (manía que, por otra parte, dejé plasmada en los distintos campos donde trabajé) me llevó a un hallazgo o a una sucesión de pequeños hallazgos que en conjunto resultaban inquietantes en grado superlativo. Lamentablemente, al principio los achaqué al estado de mis nervios, aunque en el fondo sabía que mis nervios estaban en mejores condiciones que nunca. Explicaré cómo sucedió. A veces llegaba al palacio bastante antes que Nuria y, tras ponerme un delantal de lona que guardaba para los menesteres, me aplicaba a verificar el estado de la maquinaria de la pista, la consistencia del hielo; barría un poco, en una habitación tenía lejía, salfumán, un par de escobas, bolsas de basura, guantes, trapos, amén de herramientas diversas; en ocasiones ponía una botella con flores silvestres recién cortadas en el sitio donde Nuria se cambiaba; diariamente limpiaba con alcohol el cabezal del radiocasete y no olvidaba rebobinar y dejar a punto la *Danza del Fuego*; otras veces, si me sobraba tiempo, salía a la parte posterior de la casa y barría las escalinatas que llevaban a la cala por si Nuria deseaba, antes o después, bajar a la playa; en fin, nunca me faltaba trabajo, y si bien por regla general no entraba en la mayoría de los aposentos del palacio, solía trajinar por buena parte de la primera y segunda plantas, sin contar el galpón, el parral, el jardín hundido y los jardines de cara al mar. Puedo decir que conocía de memoria estos lugares. Por tanto me sorprendió encontrar pequeños objetos, basura casi siempre, en sitios que estaba seguro de haber limpiado el día anterior. Mi primera reacción, lógicamente, fue pensar en el par de gandules que tenía trabajando por las mañanas y un día me encargué de darles personalmente una reprimenda, nada serio, porque no tenía tiempo, pero sí lo suficientemente duro como para que se lo pensaran la próxima vez. ¿Qué era lo que encontraba? Desperdicios que iban desde cajetillas vacías de Fortuna (¡y, de los dos parados, uno fumaba Ducados y el otro se había quitado el vicio!) hasta restos de hamburguesas. Nada más. Cosas insignificantes, pero que no debían estar allí. Una tarde hallé un kleenex ensangrentado. Lo arrojé a la basura con la misma repulsión que si fuera una rata agonizante, pero aún viva y hociqueando. Poco a poco llegué a la conclusión de que había alguien más en el Palacio Benvingut. Durante tres días anduve como loco. Pensé en *El resplandor* de Kubrick, que recientemente había visto en vídeo en casa de Nuria y que me había dejado con los nervios a flor de piel, traté de ser objetivo y de buscar explicaciones lógicas, todo en vano, hasta que decidí encarar el problema y registrar el palacio de arriba abajo. A tal fin dediqué una mañana completa. No hallé nada, ni el más leve indicio que delatara la presencia de intrusos. Progresivamente fui calmándome y a esto contribuyó el que durante los días siguientes no aparecieran más desperdicios. Por descontado, nada dije a Nuria y yo mismo acabé convencido de que todo había sido fruto de figuraciones sin fundamento...

REMO MORÁN:
Un día Rosquelles vio la bicicleta de Nuria en la calle

Un día Rosquelles vio la bicicleta de Nuria en la calle, frente al Del Mar, y decidió entrar y averiguar qué ocurría. Para su sorpresa encontró a Nuria sentada en la barra, tomando un agua mineral junto a mí. Hasta ese día yo no sospechaba que entre ellos hubiera alguna relación y la situación que se produjo fue, por decir lo menos, embarazosa: Rosquelles me saludó con una mezcla de odio y desconfianza; Nuria saludó a Rosquelles con una impaciencia bajo la cual se adivinaba un poquito de felicidad; y yo, pillado de improviso, tardé en comprender que el maldito gordinflón nada quería de mí sino que venía en rescate de su ángel rubio. Turbado por su presencia, no supe qué hacer ni qué decir, al menos durante los segundos iniciales, que Rosquelles aprovechó para tomar las riendas de la situación. Con una sonrisa de puerco preguntó por la salud de mi hijo, como dando a entender que éste estaba enfermo mientras su padre se divertía, y por la pobre madre, una «mártir infatigable» en pro del bienestar de los marginados. Nuria y yo nunca habíamos hablado de Lola, y las palabras del gordo atrajeron su atención de inmediato. Pero Rosquelles iba lanzado e intercaló sus preguntas con risitas y con algunos apartes a Nuria, del estilo qué haces tú aquí, pero qué sorpresa encontrarte, creí que te habían robado la bicicleta, etcétera, dichos con una voz tan impostada que en el fondo sólo producía pena. Por otra parte, como era inevitable, no tardó en darse cuenta de que el pelo de Nuria estaba mojado, acabado de lavar, igual que el mío, y me parece que sacó sus conclusiones. Cuando quise recobrar la iniciativa, Rosquelles, tan burbujeante unos instantes atrás, había caído en una especie de marasmo: estaba agarrado con las dos manos a la barra, los ojos clavados en el suelo, pálido y desencajado como si acabara de recibir una coz de burro. Era el momento ideal para machacarlo, pero preferí observar. Nuria se desentendió de mí y a media voz, de modo que no pudiera escucharlos, comenzó a hablar con el gordo. Éste asintió varias veces, no sin dificultad, como si tuviera el cuello agarrotado: parecía a punto de soltar las lágrimas cuando se marcharon. Me ofrecí a ayudarles a poner la bicicleta sobre la baca pero aseguraron que ellos solos podían. Al día siguiente Nuria no apareció por el hotel. Telefoneé a su casa (era la primera vez que lo hacía) y me dijeron que no estaba. Dejé recado de que me llamara, y esperé. No supe nada de ella hasta pasada una semana. Durante ese tiempo intenté pensar en otras cosas, distraerme, tal vez irme a la cama con otra chica, pero sólo conseguí entrar en un estado de abatimiento y desgano. Por las tardes hablaba con Lola por teléfono, aunque del hotel a su casa no había más de quince minutos; así me enteré de que pensaba irse de vacaciones a Grecia y que probablemente a su regreso dejaría el Ayuntamiento de Z por un nuevo trabajo en Gerona. Lola salía con un vasco recién llegado a la Costa Brava, un tipo simpático, funcionario de la Administración Pública, y la cosa iba en serio. Marcharían juntos, en coche, y se llevarían al niño. Le pregunté si era feliz y dijo que sí. Nunca he sido tan feliz, dijo. Por las noches, antes de subir a mi habitación, me tomaba una copa con Álex y hablábamos de cualquier cosa menos del trabajo. Astrología, la cura del limón, alquimia, las rutas de Nepal, cartomancia, quiromancia: los temas los escogía él, según su predilección. A veces, cuando Álex estaba demasiado ocupado con los libros de contabilidad (somos la fortuna número treinta de Z, solía gritar desde su pequeña oficina junto a la recepción, y luego lo oía reírse solo, una risa de felicidad absoluta) dejaba que mis pasos me llevaran hasta el Cartago y preguntaba por Gasparín. Los camareros decían que rara vez aparecía por allí pero nunca tuve ánimo para prolongar mi paseo hasta el camping. Nel, majo. Su frase favorita. Durante aquellos días, como preludio a lo que iba a ocurrir, la temperatura subió a 35 grados. Me parece que adelgacé un kilo o un kilo y medio. Por las noches me despertaba una sensación de ahogo y salía al balcón. Desde allí arriba, lo más alto que jamás podría llegar, el paisaje lucía de manera distinta: las luces de Z, la línea quebrada de la costa, más allá las luces de Y y luego la oscuridad, una oscuridad aparente ribeteada por el resplandor de los incendios forestales, detrás de la cual estaba X y, más lejos aún, Barcelona. El aire era tan denso que si alzaba un brazo tenía la sensación de estar penetrando algo vivo, semisólido; el brazo mismo parecía aprisionado por cientos de pulseras de cuero, húmedas y cargadas de electricidad. Si uno adelantaba los dos brazos, como los señalizadores de los portaaviones, tenía la sensación de estar dándole simultáneamente por el culo y por el coño a un delirio atmosférico o a una extraterrestre. Pese a estos fenómenos el verano continuó mostrándose pródigo en turistas; durante algunos días las calles de Z estuvieron intransitables y el hedor de los bronceadores y aceites para el sol invadió hasta el último rincón del pueblo. Finalmente Nuria volvió al Del Mar, a la misma hora de siempre y como si nada hubiera ocurrido, aunque en sus gestos noté un aire de indecisión que antes no tenía. Sobre lo ocurrido con Rosquelles sólo dijo que éste no sabía nada de lo nuestro y que era mejor que se mantuviera así. Por mi parte consideré que no tenía ningún derecho, y en realidad ningún motivo, para hacerle más preguntas. Tardé en comprender que Nuria estaba asustada...

GASPAR HEREDIA:

Era improbable que los jefes aparecieran por el camping

Era improbable que los jefes aparecieran por el camping después de las doce de la noche y de todas maneras estaba el Carajillo para cubrirme las espaldas; a éste nunca le molestó que llegara tarde, más aún si los retrasos obedecían a una buena causa. Naturalmente, fue preciso decirle que por fin había encontrado a Caridad. Al describir el caserón en las afueras de Z, el Carajillo dijo que aquél era el Palacio Benvingut y que se necesitaban huevos para pasar las noches en aquel edificio del infierno. Seguramente, añadió, la cantante de ópera acompañaba a Caridad y entre las dos se arropaban. Al menos una de ellas era fuerte, le constaba. ¿Qué quiso decir con eso? Lo ignoro. Al Carajillo el mencionado palacio le hacía evocar a Remo Morán; con palabras roncas aseguraba que Morán era como Benvingut, o que sería como Benvingut, algún día retornaría a América con su hijo y con el maricón de Álex (¿de dónde coño procede Morán?, preguntó. De Chile, contesté soñoliento) y construiría su palacio para asombro de criminales, ignorantes y lugareños. Igual que aquí. Con piedras negras, si las encuentra. Me hubiera gustado tenerlo conmigo en la guerra, concluyó con los ojos cerrados, sin especificar si eso era una observación sarcástica, un insulto o un elogio, o las tres cosas juntas. Me cuidé mucho de mencionar aquella vez al gordo, a la patinadora y la pista de hielo. ¿Desconfiaba del Carajillo? No, temí que no me creyera. O al menos entonces eso preferí pensar. No pude dormir durante el resto de la noche aunque los plácidos ronquidos del Carajillo invitaran a conciliar el sueño. Desde mi posición, la frente pegada a la pared de cristal, pude contemplar hasta que amaneció a los mosquitos dando vueltas alrededor de la farola de la entrada. A las ocho de la mañana, sin desayunar, me metí en la canadiense y tuve un sueño largo, hasta las cinco de la tarde, irisado de pesadillas que luego no recordé. Al despertar, la canadiense olía a leche agria y a sudor. En el exterior alguien estaba esperándome; oí, esta vez con claridad, mi nombre repetido varias veces; salí a rastras, con el pelo aplastado y los ojos llorosos; afuera el peruano estaba sentado sobre una piedra y al verme se rio. Vamos al almacén, dijo, tenemos un problema. Lo seguí sin hacer preguntas. Hay que encontrar la tienda de la drogadicta que se cagaba en los baños, explicó cuando estuvimos en el interior del almacén, revestidos por una luz amarilla oscura, luz tamizada por telarañas y colchones viejos. ¿La tienda de quién?, dije sin enterarme de lo que estaba ocurriendo. Mejor será que vaya a lavarme y después me lo explicas. El peruano se negó, dijo que era urgente encontrar la jodida canadiense y acto seguido, con una energía que tenía algo de falso, se puso a husmear entre los cientos de objetos en desuso amontonados por todas partes; incluso desde el techo de madera, cruzado por una red de alambres, colgaban parrillas de barbacoa, linternas de camping gas, toldos, sartenes, mantas militares, mientras en las paredes había todo un arsenal de herramientas para cavar zanjas, y cajas de cartón, algunas en buen estado y otras húmedas y florecidas, llenas de fusibles inútiles que sólo Bobadilla sabía a santo de qué se guardaban allí. Salí sin decir palabra, me lavé la cara, el pecho, los brazos, puse la cabeza debajo del grifo hasta que tuve todo el pelo mojado y luego, sin secarme, porque no había ninguna toalla a mano, volví al almacén. Tú deberías saber dónde está, dijo el peruano arrodillado ante un lote de señales de tránsito, verdes sobre blanco, de todas las clases, ordenadas de canto debajo de lo que parecía ser una balsa desinflada. Pregunté qué demonios estábamos buscando y así supe que el amigo de Caridad había regresado al camping. Ahora todas las deudas están pagadas, dijo el peruano, y el hombre exige su tienda. Por un instante pensé que Caridad venía con él, pero el peruano rápidamente aclaró que el tipo estaba solo y que ni siquiera había preguntado por el paradero de su chica. Venía a quedarse unos días en el camping y había saldado la deuda, incluidos los días en que Caridad estuvo sin él. En el lugar donde había dejado la tienda encontré una caja de banderas viejas de las que en un alarde de internacionalismo se ponen en las entradas de los campings, prácticamente destrozadas por sucesivas temporadas a la intemperie. El peruano comenzó a sacar las banderas y a nombrarlas una por una, con nostalgia, como un expresidiario recitando las cárceles en que ha consumido su juventud: Alemania, Gran Bretaña, Estados Unidos, Italia, Holanda, Bélgica, Suiza, Suecia, Dinamarca, Canadá... Menos en Estados Unidos, en todos los demás países he vivido, dijo. Unos metros más allá, arrimada a un armario desvencijado, estaba la tienda. Con una de las banderas que el peruano ahora hacía ondear como si estuviera toreando, limpié el polvo que la cubría y sugerí que descansáramos un poco. El peruano me observó con curiosidad; ambos estábamos sudando y el polvillo que flotaba en el interior del almacén se nos pegaba a la piel formando grumos. Permanecimos en silencio un buen rato, envueltos en la luz amarilla que recién entonces descubrí era producida por los periódicos viejos que hacían las veces de cristal. En medio, como la tabla compartida de los náufragos, la tienda en donde Caridad durmió, sufrió pesadillas e hizo el amor. La habría apretado contra mi pecho si el peruano no hubiera estado allí, impaciente por marcharse. Cogimos la tienda, uno de cada lado, y lo acompañé a la recepción porque tenía ganas de verle la cara al amigo de Caridad. Cuando llegamos el chico ya no estaba y decidí que no tenía deseos de esperar a que volviera. El peruano y la recepcionista notaron algo en mi actitud. Según la recepcionista el amigo de Caridad no podía tardar, debía estar tomándose una cerveza o escogiendo una parcela, pero mi instinto me hizo alejarme de allí inmediatamente. Dejé que mis pasos se amoldaran al flujo del resto de los paseantes, pensando si encontraría a Caridad en la calle o si tendría la fuerza necesaria como para dirigirme al viejo caserón en las afueras. Al llegar al Paseo Marítimo intenté repetir el recorrido del día anterior junto a los jardines. En un extremo de la explanada donde habían estado los equipos de ala-delta, comenzaba a instalarse una cobla de sardanas. Cuando pregunté si el concurso de ala-delta había terminado obtuve una respuesta afirmativa. ¿Qué le sucedió al último piloto? Mi interlocutor, un anciano que paseaba a su perrito, se encogió de hombros. Todos se han ido, dijo. Durante un rato permanecí apoyado en el tronco de un árbol, de espaldas a las terrazas, escuchando los primeros acordes de la cobla; luego dejé el paseo y me sumergí en las callejas del puerto. Reconocí algunos bares de la noche anterior; en un establecimiento de futbolines y máquinas creí ver la cabellera negra de Caridad, pero no era ella. Escapé del bullicio caminando hacia arriba, hacia las calles que finalizan su pendiente en la iglesia. De pronto me hallé vagando por veredas silenciosas en donde los únicos sonidos procedían de las ventanas abiertas y de los televisores. Regresé al plan por una avenida llena de tilos y de coches mal aparcados. No soplaba ni una gota de brisa. Antes de llegar a la primera terraza, por encima del griterío generalizado, escuché la voz de Carmen. Parecía estar templándola por puro gusto. Me asomé a la puerta de un bar de mala muerte, en uno de los laterales del paseo, y allí estaba, sentada entre una clientela no muy numerosa, tomando un café con leche y una copa de coñac. Pedí una cerveza y busqué un lugar junto a ella. Tardó en reconocerme pero cuando lo hizo fue como si todo el tiempo hubiera estado esperándome. Hola, guapete, dijo, te voy a presentar a un amigo. En la silla de al lado un hombre de edad indefinida, podía tener cuarenta lo mismo que sesenta, pequeño, delgado, poseedor de una voluminosa cabeza con forma de pera, me tendió la mano con gran corrección. Vestía pantalones de dril, holgados, de color azul, y un niki amarillo de mangas cortas. Cuando nos volvimos a sentar, después de las formalidades de la presentación, Carmen avisó que de un momento a otro iba a empezar su actuación. Tuve la impresión de que lo decía por si quería marcharme, pero me quedé allí sin hacer ningún comentario. Su acompañante habló entonces: no hay nada como el canto para los calores del verano, dijo ceremoniosamente, con un tono en el que se adivinaban por igual la timidez y el bienestar. Para afirmar su opinión nos enseñó unos dientes alargados de conejo, manchados de nicotina. Calla, Recluta, que siempre la cagas, dijo Carmen mientras se levantaba y, tras un breve carraspeo, se iba por delante con un cuplé, o algo similar, cabeza y busto inmóviles como si de repente le hubiera dado un ataque o se hubiera convertido en estatua de cintura para arriba, los pies, cautelosos, avanzando de punta tacón, y las manos aleteantes, acompasando el cuplé y al mismo tiempo, astutamente, recogiendo las monedas que la concurrencia le tendía. El trecho recorrido fue breve, a la medida de la canción, y la interpretación obtuvo dos o tres frases elogiosas donde se adivinaba el cansancio por lo ya oído. Al volver junto a nosotros Carmen tenía en la palma trescientas pesetas que estampó, como si estuviera jugando al dominó, junto a su café con leche y su copa, al tiempo que hacía una ligera reverencia en dirección a la puerta, donde no había nadie. Ole tu madre, dijo el Recluta, y se bebió de un trago lo que restaba de la bebida, un cuba libre a juzgar por el aspecto. Menos galgos y chanta la mui, fue la sonora respuesta de la cantante, arrebolada por el esfuerzo realizado. En sus gestos, por ejemplo el que acababa de hacer en dirección a la puerta vacía, era posible adivinar una especie de urbanidad en la que nada era improvisado, y todas las reverencias y miradas obedecían a un plan que la cantante seguía a rajatabla. El Recluta se movió en su asiento, feliz, y pidió en voz alta otro cuba libre. Carmen, a su lado, bebía a sorbitos el café con leche vigilando de reojo mis manos. Sobre la pared, entre banderines de equipos de fútbol, un reloj marcaba las nueve de la noche. Con modales altaneros el camarero puso sobre nuestra mesa otro cuba libre. Ole tus cojones, susurró el Recluta, y se echó al coleto tres cuartas partes del vaso. Mueran los desprecios y mueran las insidias, añadió. Tú también te has quedado sin brújula, guapete del pelo, dijo Carmen. Pregunté qué quería decir eso de guapete del pelo. El Recluta se rio, muy bajito, y golpeó la superficie de la mesa con los nudillos y con las puntas de los dedos. Ella no va a venir, dijo Carmen. ¿Quién es ella? Caridad, hombre, ¿quién si no? La cantante y el Recluta se miraron de forma significativa. Tengo que irme, dije. Vete, niño, murmuró el Recluta; tenía los ojos vidriosos y risueños, pero no estaba borracho. Por un segundo me pareció un muñeco, o un enano que de pronto se hubiera decidido a crecer. No me moví de mi silla. No sé cuánto tiempo transcurrió; recuerdo que el sudor me corría por la cara como si estuviera lloviendo y que en determinado momento miré al Recluta y vi que su rostro, de piel mate y lustrosa, estaba completamente seco. El bar se había ido llenando de gente y Carmen, sin decir agua va, se levantó y repitió el número. Me parece que esta vez cantó algo más fuerte, pero no lo puedo asegurar; algo más fuerte y más triste. Ahora sé que no quería irme de allí porque sabía que ya en la calle debería decidir entre ir a trabajar o encaminar mis pasos hacia las afueras de Z. Finalmente pudo más mi miedo y caminando con prisa, como si alguien me persiguiera, volví al camping...

ENRIC ROSQUELLES:

¿Cómo creéis que me sentí cuando supe...?

¿Cómo creéis que me sentí cuando supe que entre Nuria y Remo Morán existía algo más que una amistad? Fatal, me sentí fatal. Creí que el mundo se abría bajo mis pies y mi espíritu se rebeló ante lo que consideré un sarcasmo y una injusticia. Debería decir: la repetición de una injusticia, pues hace unos años tuve ocasión de ver en circunstancias similares a Lola, mi mejor asistente social, una chica eficientísima, con una moral y equilibrio envidiables, caer en las garras del mencionado comerciante sudamericano, quien no tardó en destrozar su vida. Todo lo que Morán tocaba se envilecía, se empobrecía, se ensuciaba. Ahora Lola está divorciada y aparentemente lleva una vida normal, pero yo sé que en su interior sufre y que tal vez le cueste años recuperar la frescura, la alegría que irradiaba antes de su infortunado encuentro. No, Morán nunca me cayó bien; como suele decirse, nunca conseguí tragarlo; tengo una capacidad innata para juzgar a las personas y desde el primer momento supe que se trataba de un farsante, un embaucador redomado. Hay quien ha dicho que yo lo odiaba porque era artista. ¡Artista! ¡Me encanta el arte! ¿Por qué, si no, me jugué seguridad y futuro en la pista de hielo? Sucede, simplemente, que a mí no me dio el pego con sus aires de estar de vuelta de todo. ¿Que venía de una guerra? ¿Que había aparecido un par de veces en la televisión? ¿Que la tenía de treinta centímetros? ¡Dios mío, Dios mío! ¡Estoy rodeado de perros rabiosos! Mis antiguos subordinados, los más bajos correveidiles de Ferias y Fiestas, de Juventud, los voluntarios de Protección Civil, todos aquellos a quienes recorté en alguna ocasión el presupuesto, a quienes trasladé a oficinas más pequeñas o a quienes lisa y llanamente puse en la calle porque no quería inútiles en mis departamentos, se desquitan ahora inventando historias que favorecen al sudaca y me perjudican. Morán es un mamarracho que jamás ha estado en ninguna guerra, que tal vez haya salido en la televisión (en el programa regional) ahora que todo el mundo sale, y, por último, debo deciros que desde hace mucho tiempo sé que el tamaño no lo es todo. ¡Un hombre debe ser cariñoso y tierno para ser hombre y ser querido! ¡O tal vez pensáis que le va a meter los treinta centímetros al clítoris! ¡O tal vez pensáis que con los treinta centímetros va a despertar el punto G! Cuando pienso en Lola caminando por la playa de la mano de su pequeñín, un crío al que en mala hora bautizaron con un nombre indio que soy incapaz de retener en la memoria, mi odio o lo que llamáis mi odio contra Morán encuentra todas las justificaciones. Sí, intenté cargármelo, pero siempre dentro de la más estricta legalidad. En toda mi vida, antes de los desgraciados incidentes del Palacio Benvingut, lo habré visto tres veces y en las tres, creo recordar, se ufanó de saltarse a la torera la reglamentación vigente en lo que respecta a los extranjeros sin permiso de trabajo. Morán y los payeses de los alrededores de Z eran los únicos, por lo que yo sabía, que creían estar al margen de la ley. En los sembradíos, al menos en algunos payeses, era comprensible aunque no disculpable: había que recoger las lechugas, por ejemplo, y la disponibilidad de braceros se reducía al colectivo de negros, la mayoría sin papeles en regla. No me gustan los negros. Menos aún si son musulmanes. En alguna ocasión, como sin darle importancia, sugerí a mi equipo de trabajo de Servicios Sociales un proyecto que recogería a todos los jóvenes marginales de Z en un amplio abanico de labores de campo, sembrar, cosechar, manejar tractores, incluso vender en el mercado cada mañana; hubiera sido sensacional ver a esa promoción de futuros quinquis, cuando no yonquis, labrando la tierra. Por supuesto, la idea fue rechazada casi como si la hubiera dicho en broma. Ni yo mismo creía suficientemente en ella. No sé, tenía algo de trabajo esclavo, dijeron, mala publicidad. En fin, nunca lo sabré. Como decía, los payeses tenían razones de peso. Morán, en cambio, ¡contrataba legales sólo para tocar las pelotas! Una vez, de pasada, se lo comenté a Lola, cuando aún era su esposa, y su respuesta no la he olvidado. Según Lola, Morán daba trabajo a los amigos que tuvo a los dieciocho años, a un grupo de poetas que el tiempo y las circunstancias habían hecho recalar en la Madre Patria. Él los encontraba, o el azar aunado a su voluntad hacía que los encontrara, les daba trabajo, los hacía ahorrar (les obligaba a ahorrar) y al final de la temporada, indefectiblemente, sus antiguos compañeros regresaban a sus respectivos lugares de origen en América. O al menos eso era lo que Morán le contaba a Lola; ésta nunca llegó a intimar con ninguno, aunque todos le parecieron dignos de ser tratados profesionalmente. Seres zarrapastrosos y heridos, resentidos, desadaptados, silenciosos, enfermos, con los que uno preferiría no encontrarse en una calle desierta. Debo decir que con Lola, pese al abismo que me separaba de su esposo, me unía, confío en que aún sea así, una amistad y un compañerismo sólo superado por el que me vinculaba con la alcaldesa, por lo que nada podía hacerme dudar de la veracidad de sus confidencias. Los referidos poetas, unos perfectos desconocidos tanto en España como en Hispanoamérica, nunca fueron muchos, en realidad debían confundirse con el resto del variopinto personal, donde había gente para todos los gustos. Jamás vi a ninguno, y si ahora he recordado esta historia es por el regusto de película de terror que dejó en mí. En cualquier caso, como le hice notar a Lola, ¿aquello era un acto de amistad hacia sus antiguos colegas o bien pretendía deshacerse de ellos? Según Lola, tal vez no todos volvieran a Latinoamérica, tal vez simplemente no volvieran a Z, sin más, pero yo me incliné por la simetría de las temporadas de verano y de los viajes de regreso. Otra cuestión era si volvían con las manos vacías, aparte de las pocas pesetas que hubieran podido ahorrar, o si el viaje era una manera de seguir trabajando para Morán, como correos o como mensajeros. La droga, es sabido, campa a sus anchas en Z y en más de una ocasión, aunque honestamente debo decir que sin fundamentos, oí decir que Morán estaba en el negocio. Esto, por supuesto, nunca lo comenté con Lola, más que nada por respeto, después de todo se trataba del padre de su hijo. En dos oportunidades telefoneé a unos conocidos de Gerona, a ver si por ahí podían trincarlo. Cero absoluto. La gente se mueve sólo cuando le pican el culo. De más está decir que todas las visitas que realizaron los inspectores de trabajo resultaron inútiles. Tampoco me hacía muchas ilusiones al respecto: conozco a ese tipo de burócratas como si los hubiera parido y sé que jamás debieron intentar tomarlo por sorpresa, llegar en horas intempestivas, interrogar a todo el personal, informarse con los vecinos, etcétera. Con los métodos tradicionales Morán se escabulló siempre, sin ni siquiera una multa pequeña, testimonial. Otra salida hubiera sido denunciarlo a UGT o a Comisiones Obreras, pero mi relación con los representantes sindicales de Z no es muy buena. Sólo una vez en toda mi vida he llegado a las manos: hará unos cinco o seis años, en las puertas de la sede de UGT, tuve que enfrentarme a un grupo de exaltados. Junto a un policía municipal, hoy jubilado, contra ocho o nueve matones del comité de huelga. La verdad es que eran tantos que no recuerdo el número con exactitud. La pelea, por suerte, fue a mano abierta y breve, y su desarrollo y resolución más a empujones que con golpes. De todas maneras terminé sangrando por la nariz y con una ceja abierta, y Pilar dejó no sé qué cosa importante por venir a verme enseguida. Es extraño: yo, que en mi infancia nunca agredí ni fui agredido, tuve que venir a Z y trabajar como un burro y conocer el amor para que me llovieran los palos. A Nuria, quiero que esto quede claro, nada le dije; ni una recriminación, ni nada que ella pudiera entender como tal. Me tragué la rabia, los celos (por qué no decirlo) y el estupor que todo el asunto me producía. En sus gestos, en su modo de abordar el tema, vi claramente que lo de Morán era algo que ni ella entendía del todo, y que mi intromisión sólo contribuiría a empeorar. Ella mintió y yo fingí creerle. El dolor hizo que mi amor, sin decrecer en intensidad, experimentara variaciones, placeres mentales nuevos. Por cierto, no me faltaban cosas en que ocuparme; mi animadversión por Remo Morán nunca ha consumido, bendito sea Dios, más del tres por ciento de mis pasiones. Por aquellas fechas volví a soñar con la pista de hielo. El sueño parecía una prolongación del que ya había tenido: afuera el mundo soportaba más de 40 grados a la sombra y en el interior del Palacio Benvingut un aire gélido quebraba los viejos espejos. El sueño empezaba en el momento en que me calzaba los patines y echaba a correr, sin ningún esfuerzo, por la superficie blanca y lisa, de una pureza que entonces me parecía sin igual. Un silencio profundo, definitivo, lo envolvía todo. De pronto, impulsado por la propia fuerza de mi patinaje, salía de la pista, de lo que yo creía que era la pista, y comenzaba a patinar por los pasillos y las habitaciones del Palacio Benvingut. La maquinaria debe estar loca, pensaba, y ha cubierto de hielo toda la casa. Deslizándome a una velocidad de vértigo llegaba a la azotea desde donde contemplaba un ángulo del pueblo y las torres de electricidad. Éstas parecían sobrecargadas, a punto de estallar o de echar a caminar hacia las calas. Más atrás veía un bosquecillo de pinos, en pendiente, casi negro, y encima unas nubes rojas como picos de patos apenas entreabiertos. ¡Picos de patos con dentaduras de tiburones! Por el camino comarcal, muy lentamente, surgía la bicicleta de Nuria en el preciso instante en que estallaban llamaradas gigantescas en Z. El resplandor duraba sólo unos segundos y luego la oscuridad cubría todo el horizonte. Estoy perdido, pensaba, ha llegado el apagón general. Despertaba cuando debajo de mis pies el hielo comenzaba a derretirse a una velocidad inusitada. Este sueño me hizo recordar un libro que leí en mi adolescencia. Según el autor del libro (cuyo nombre he olvidado) existe una leyenda o algo así sobre la lucha entre el bien y el mal. El mal y sus seguidores imponen la fuerza del fuego sobre la tierra. Se expanden, libran combates, son invencibles; en su última batalla, la más importante, el bien descarga el hielo sobre los ejércitos del mal y los detiene. De forma paulatina el fuego se apaga de la faz de la tierra. Deja de ser un peligro. La victoria final es para los seguidores del bien. No obstante, la leyenda advierte que la lucha no tardará en reiniciarse puesto que el infierno es inagotable. Mi sensación, cuando el hielo empezaba a derretirse, era precisamente ésa: que el Palacio Benvingut y yo mismo nos hundíamos a plomo en el infierno...

REMO MORÁN:

Decidí ir a buscar a Nuria a su casa

Decidí ir a buscar a Nuria a su casa, cosa que nunca había hecho, y así fue como conocí a su madre y a su hermana, la pequeña y listísima Laia. Era una calurosa tarde de sol, pero la gente no se privaba de transitar por las calles repletas de puestos de comida y helados, y con mercancías de todo tipo que las tiendas empujaban casi hasta el bordillo de la acera. Abrió la puerta una mujer delgada, un poco más baja que Nuria y que me invitó a pasar sin venir a cuento, como si esperara mi visita desde hacía mucho. Nuria no estaba. Quise irme pero ya era tarde, y la mujer, con gesto cortés pero decidido, bloqueaba la salida. No tardé en comprender que pretendía sonsacarme información acerca de su hija. En la sala adonde fui empujado había trofeos sobre pequeños pedestales de falso mármol; a ambos lados de la chimenea, como viejos anuncios de recompensas, colgaban fotos y recortes de prensa enmarcados con vidrio y tiras de aluminio. En ellos se veía a Nuria patinando, sola o acompañada, y algunos recortes estaban escritos en inglés, francés, algo que tal vez fuera danés o sueco. Mi hija patina desde los seis años, anunció la madre, de pie en el quicio de la puerta que separaba la sala de una cocina espaciosa y con las persianas bajas, lo que le daba un aire de bosque oscuro, de claro de bosque a medianoche. En la sala las cortinas filtraban una luz amarilla y agradable. ¿Usted ha visto patinar a mi pequeña?, dijo en catalán, pero antes de que pudiera contestarle repitió la pregunta en castellano. Dije que no, nunca la había visto patinar. Me observó como si no me creyera. Tenía los ojos tan azules como los de Nuria, pero en los de la madre no era posible vislumbrar la voluntad acerada que refulgía en los de la hija. Acepté una taza de café. Desde el fondo de la casa llegaba un ruido monótono y regular, pensé que estarían partiendo leña pero era absurdo. ¿Usted es sudamericano?, inquirió la madre, tomando asiento en un sillón de flores sepia sobre fondo gris. Respondí afirmativamente. ¿Nuria iba a tardar mucho? Eso nunca se sabe, dijo, mirando una bolsa donde sobresalían palillos y madejas de lana. Mentí acerca de mi disponibilidad de tiempo, aunque de alguna manera ya sabía que no iba a poder largarme tan fácilmente. ¿De qué país? ¿De Argentina? La sonrisa de la madre, pese a ser más bien neutra, parecía darme golpecitos en la espalda invitando a que me explayara. Respondí que era chileno. Ah, bueno, de Chile, dijo la madre. ¿Y a qué se dedica? Tengo una tienda de bisutería, murmuré. ¿Aquí, en Z? Moví la cabeza aceptándolo todo. Qué raro, dijo la madre, Nuria nunca me ha hablado de usted. El café estaba ardiendo pero lo bebí aprisa, a mis espaldas alguien chilló, de reojo vi pasar una sombra en dirección a la cocina y la madre dijo: ven, te quiero presentar a un amigo de Nuria. Ante mí, sosteniendo una lata de Coca-Cola, apareció la pequeña de la familia Martí. Nos dimos la mano y sonreímos. Laia se sentó junto a su madre, apenas separada por la bolsa de las lanas, y esperó; recuerdo que llevaba pantalones cortos y que en ambas rodillas se apreciaban grandes costras marrones. Mi esposo sólo la vio patinar una vez, pero se murió feliz, dijo la madre. La observé sin entender una palabra. Por un momento imaginé que quería decirme que su marido había muerto mientras veía patinar a Nuria, pero obviamente era desmesurado pensar aquello, y mucho más pedir una aclaración, así que me limité a asentir con la cabeza. Murió en el hospital, dijo Laia, que no me quitaba la vista de encima mientras sorbía su Coca-Cola con una lentitud escalofriante; en la habitación 304 del hospital de Z, puntualizó. La madre la contempló con una sonrisa de admiración. ¿Otro café, señor Morán? Dije que no, muchas gracias, aunque el primero estaba riquísimo. Cosa extraña, para entonces tenía la impresión de que la decisión de irme o quedarme ya no dependía de mí. ¿Sabes qué está haciendo Nuria allí? Pensé que Laia se refería a la Nuria de carne y hueso y me giré, sobresaltado, pero a mis espaldas sólo estaba el pasillo vacío. El dedo índice de Laia señalaba una de las fotos enmarcadas. Confesé mi ignorancia y me reí. La madre, comprensiva, se rio conmigo. Dije que había creído que Nuria estaba detrás de mí, qué tonto. Eso es un «bucle», dijo Laia, un «bucle». ¿Y sabes qué está haciendo allí? La foto había sido tomada desde lejos, para que se viera bien la magnitud de la pista y del aforo; en el centro, un poco escorada a la derecha, una Nuria con el pelo más corto había sido inmovilizada en el instante de una huida quimérica. Eso es un «bracket», dijo Laia. Y ése es el final de una serie de «treses». Y aquélla es la figura «catalana», inventada por una patinadora catalana. Después de confesar mi admiración me dediqué a observar las fotos una por una. En algunas Nuria tal vez no tuviera más de diez o doce años, tenía las piernas como fideos y se veía muy delgada. En otras patinaba con un chico de pelo largo y cuerpo atlético, los brazos entrelazados, ambos sonriendo ostensiblemente: dentaduras blancas, expresiones concentradas y, sin embargo, felices. En el remolino de fotos de pronto me sentí agotado y triste. ¿Cuándo volverá Nuria?, dije. Mi voz sonó como un quejido. Más tarde, después del entrenamiento, dijo Laia. Su madre, sin que yo lo notara, había sacado los palillos y ahora estaba tejiendo con una expresión de satisfacción en el rostro, como si hubiera averiguado todo lo que quería averiguar. ¿Entrenando? ¿En Barcelona? Laia me dedicó una sonrisa de camaradería: no, en Z, patinando o haciendo jogging o jugando al tenis. ¿Patinando? Pa-ti-nan-do, repitió Laia, siempre vuelve tarde, y luego, después de comprobar que su madre no nos hacía caso, me dijo al oído: con Enric. Ah, suspiré. ¿Conoces a Enric?, dijo Laia. Respondí que sí, que lo conocía. ¿Así que todos los días entrenaba con Enric? Todos los días, gritó Laia, hasta los domingos...

GASPAR HEREDIA:

Soy un recluta en este pueblo del infierno, dijo el Recluta

Soy un recluta en este pueblo del infierno, dijo el Recluta cuando pregunté por qué lo llamaban así. Un recluta, un novato a los cuarenta y ocho años, un pardillo que no conoce las trampas ni tiene amigos en quien afirmarse. La rebusca en contenedores le daba algo de dinero, el resto del día vagaba por algunos bares apartados de la playa, nada turísticos, en las salidas de Z, o bien se pegaba como una lapa a la sombra siempre imprevisible de Carmen. Ésta le había puesto el nombre de Recluta y en su voz era como mejor sonaba: Recluta, haz esto, Recluta, haz lo otro, Recluta, cuéntame tus penas, Recluta, vamos a beber. Cuando Carmen decía Recluta uno podía escuchar la música de fondo de una calle de Andalucía llena de pobres conscriptos de permiso, buscando una pensión barata o un tren para escapar del cataclismo tantas veces soñado; su silabeo arrastrado y luminoso, que al Recluta, por otra parte, le encantaba al grado de poner los ojos en blanco, tenía algo de baño colectivo de hombres con un agujerito en el techo por donde la hija pequeña del capitán general observaba la tortura de cada mañana bajo las duchas frías. Bueno, entonces una ducha fría era algo tentador, el calor espesaba el aire y uno se pasaba las horas sintiendo amargura y boqueando, pero en la voz de Carmen esa ducha fría era terrible. Terrible, sí, pero deseable y metódicamente de maravilla; el Recluta trabajaba en los contenedores o pidiendo las cajas de cartón directamente en las tiendas y almacenes, luego vendía su mercancía a un trapero, el único de Z, un cabroncete y explotador de mucho cuidado, y allí concluía la jornada. El resto del día intentaba pasarlo junto a Carmen, propósito no siempre conseguido. Por cierto, aquélla era su primera estancia en Z, aunque la amistad con la cantante se remontaba a uno o dos años atrás, en Barcelona. Por ella he caído en este pueblo sin piedad, explicaba a quien quisiera escucharlo, siguiendo a esa veleta llegué una noche de perros, jefe, y ella muchas noches ni siquiera se queda conmigo. A lo que Carmen respondía que su independencia era la cosa más preciada y que el Recluta debía aprender de los catalanes la tolerancia, el civilizado ejercicio de verlas venir con calma. ¿Tú sabes que hay cosas que no se pueden saber, Recluta? ¿Y que preguntar mucho es feo? El Recluta movía la cabeza y las manos, asintiendo con desesperación; era evidente que las explicaciones de la cantante no lo convencían. Su mayor miedo era que el alejamiento, aunque fuera temporal, propiciara la muerte, una muerte súbita, nocturna, doble. Lo peor de morir solo, decía, es no poder despedirse. ¿Y para qué te quieres despedir cuando te estás muriendo, Recluta? Mejor es pensar en la gente que quieres y decirles adiós con la imaginación. Hablaban a menudo de la muerte, a veces de manera beligerante, aunque la mayor parte del tiempo lo hacían de forma distanciada, como si la cosa no fuera con ellos, o resignados, como si el mal trago ya hubiera sido bebido hasta la última gota. El asunto de dormir solo era el único motivo de verdadera disputa. Disputas ocasionales. El Recluta quería dormir todas las noches con Carmen y uno notaba los recelos, las rabietas, el sentimiento de orfandad que su negativa le causaba. La amistad entre ambos había nacido en un centro de acogida de mendigos y se sostenía en el aire, afirmaban triunfales. Es que la vida no tiene comparación, decía Carmen, fijémonos, por ejemplo, en las plantas, tan agradecidas que les basta un dedal de agua, y en los árboles llamados robles y en los llamados pinos reales, que igual se los traga un incendio y con una meadita sucia vuelven a crecer, a lo que el Recluta añadía que no pasando frío y teniendo qué echarse a la boca él se conformaba. Con voz soñadora, tal vez recordando *La dama y el vagabundo*, la cantante decía que el Recluta era un paleto y ella una señorita, qué le vamos a hacer. Acaso para remediarlo se habían aficionado a contar historias y a veces se pasaban horas revisando sus propios pasados, compartiéndolos de manera que uno pudiera creer que se conocían desde los cinco años y que eran testigos de cada peripecia del otro. Tenían fe en el futuro: España camina hacia la gloria, solían decir. Y tenían fe, también, en su particular futuro. Todo se iba a arreglar, cuando llegara el otoño no necesitarían marcharse de Z, tampoco cuando llegara el invierno, al contrario, iban a tener una buena casa con chimenea o con estufa eléctrica para no pasar frío, y una tele para entretenerse, y el Recluta, con paciencia, conseguiría un trabajo, nada rutinario, nada de deslomarse todos los días porque era una esclavitud que ellos ya no toleraban, pero sí estable, tal vez limpiar vidrios en comercios y restaurantes, tal vez vigilar edificios de apartamentos vacíos, tal vez de jardinero en los chalets de los ricachones de la comarca, aunque para eso sería menester un coche y herramientas adecuadas. El Recluta abría mucho los ojos cuando Carmen pintaba con esos colores el futuro. ¿Y tú qué harás, Carmen? Yo daré clases de canto, cultivaré las voces de los niños, me tomaré la vida con calma chicha. Ole tus cojones, así me gustan las mujeres: ¡arriba y abajo!, todo lo que sube baja y todo lo que toca fondo vuelve a la superficie, exclamaba enfervorizado el Recluta. Tengo un plan, me confesó Carmen, un plan del que no puedo decir ni una palabra, antes muerta que abrir la boca. Pero la tentación pudo más que su prudencia, o bien se olvidó de que no debía hablar, y una tarde, a grandes trazos, nos explicó lo que pensaba hacer: primero que nada iría a empadronarse en el registro de Z, luego visitaría al machacante de la alcaldesa y le pediría, no, le exigiría, un piso de subvención oficial a pagar en treinta años, finalmente, para rematar la faena, le contaría algunas cosillas como prueba de la veracidad de su información, a él o a la alcaldesa en persona, no faltaba más, que él mismo eligiera. ¿Y cómo sabes tú quién es el machacante de la señora?, dijo el Recluta. Por experiencia, dijo la cantante, y mientras se pasaba por el pelo un peine verde pasó a contarnos lo que le había sucedido en una anterior estancia en Z, dos o tres años atrás, no lo recordaba con exactitud, tal vez hacía cuatro años, lo que sí recordaba, en cambio, eran las visitas diarias al Ayuntamiento de Z en demanda de ayuda. El Purgatorio. Por esos días Carmen pensó que estaba grave y tuvo miedo. Miedo a morir sola y desasistida, como decía el Recluta. Pero no murió. ¡Entonces conocí a todas las alimañas de la Administración Pública! ¡A los chacales y a los buitres! ¡Demócratas de toda la vida dispuestos a dejarme morir, sin compadecerse o sonreír siquiera cuando les hacía un chiste o les imitaba a Montserrat Caballé! Nunca confíes en los oficinistas, guapete. Todos los que trabajan en una oficina son unos hijos de puta y están condenados a ser pasados a cuchillo de un modo u otro. Sólo una niña me quiso ayudar de verdad: la asistente social, una chica muy bonita y muy enterada, además, de los vaivenes de los clásicos. Los clásicos de la ópera, claro. Así conocí al machacante de la alcaldesa, es decir, así le conocí las entrañas, más negras que las de un pozo. Para que te aclares: insistí tanto en hablar con la alcaldesa que su secretario me remitió al machacante y éste a la asistente social. La muchacha me hubiera resuelto el problema pero no la dejaron. Lo sé porque todas las mañanas hacía un poco de antesala en las oficinas de los educadores de calle y asistentes sociales, más que nada porque los llamados horarios hábiles no son buenos para el canto y en la sala de espera tenían refrigeración. La refrigeración me chifla, guapete. Bueno, entonces oí al machacante detrás de una puerta, que más parecía el dios del trueno echando pestes contra un montón de cosas en general y contra mí en particular. Mi pecado era no estar empadronada en Z y de allí no pasamos. Yo no tengo carnet de identidad, sólo la tarjeta de Cáritas y la de donante de la Cruz Roja, así que ya me dirás. No estoy empadronada en ningún sitio. Pero hasta los policías, cuando me detienen, saben que esas cosas deben perdonarse. Al final me recuperé sola y ya no necesité su ayuda. El cuerpo se alegra cuando está sano y se olvida de todo, aunque yo no olvidé la cara del infame. Ahora conozco algunos asuntillos que inclinan la balanza a mi favor (mi fuente de información es cristalina) y voy a pedir todo lo que se me antoje. No una cama de hospital sino una casa y facilidades para empezar una nueva vida, que ya nos toca. Qué tipo de asuntillos conocía, no lo quiso decir. El negocio olía a chantaje pero era difícil imaginar a Carmen haciendo el papel de chantajista. El Recluta sugirió que en lugar de una casa pidiera una roulotte, así podrían ir de un sitio a otro. No, una casa, dijo la cantante, una casa a pagar en treinta años. Durante mucho rato estuvimos riéndonos y hablando de casas, hasta que se me ocurrió preguntar qué tenía que ver Caridad en todo eso. Caridad es una chica muy inteligente, dijo la cantante, guiñándome un ojo, sólo que ahora está un poco pachucha y yo la cuido; cuando tenga la casa podrá ir a vivir conmigo. Eres generosa como el sol, dijo el Recluta con un poco de envidia. Soy de lo que ya no hay, Recluta, dijo Carmen. ¿Y si nadie te hace caso qué harás? ¿Si no me hacen caso quiénes, guapete? Los del Ayuntamiento, el hombre de la alcaldesa, el mundo en general... Carmen se echó a reír, tenía los dientes astillados y dispares, y casi no le quedaban muelas, pero en cambio poseía una mandíbula fuerte, compacta, de esas que se echan para adelante en los momentos de desaliento. Tú no sabes de lo que estoy hablando, me dijo, tú no sabes el follón que estoy dispuesta a montar. ¿Tú y Caridad? Yo y Caridad, dijo la cantante, porque dos cabezas piensan más que una...

ENRIC ROSQUELLES:
Siempre percibí miradas cargadas de resentimiento

Siempre percibí miradas cargadas de resentimiento, pero las primeras miradas donde se mezclaban en dosis iguales la insidia y la expectación, una novedad, sólo comencé a notarlas este verano, mi último verano en Z. Inicialmente lo achaqué a la proximidad de las elecciones, no faltaba gente dentro del Ayuntamiento aguardando durante cuatro años la derrota de Pilar y por consiguiente la mía. Tardé en darme cuenta de que esta vez la cosa era distinta, una especie de sospecha no formulada se había instalado en la piel, más que en la mente, de los funcionarios y empleados que no estaban de vacaciones. Intenté ser simpático pero nada conseguí, las miradas siguieron bien agarradas de las ventanas y de las mesas, en los lavabos y en las escaleras. Ni una sola palabra irrespetuosa, ni un solo chiste con doble intención, pero la sensación de estar siendo vituperado seguía latente. Terminé, como siempre, achacándolo todo al estrés, a mis horarios sin medida, a mis asuntos privados, porque la verdad es que nadie me había dicho nada que pudiera interpretarse como una crítica y algunos, los de siempre, no escatimaban alabanzas a cualquier gestión realizada por mí y que llegara a buen puerto. Incluso los proyectos que se hundían a media singladura, para seguir con las metáforas marineras, eran premiados con algún aplauso, con alguna frase de consolación, como por ejemplo que la estructura del pueblo todavía no estaba preparada para esto o aquello, etcétera. Lo cierto es que bajé la guardia y esas señales que tanto hubieran podido servirme si llego a leerlas de forma correcta, pasaron sin causarme más que una ligera impresión de acoso, fenómeno al que por otra parte ya estaba acostumbrado. Pilar, por esos días, acababa de regresar de un viaje a Mallorca, mitad de trabajo y mitad de vacaciones, en el cual uno de los jefazos del partido le insinuó, mitad en serio, mitad en broma, o sea del talante de casi todo lo ocurrido en Mallorca por aquellas fechas, que no haría un mal papel en el Parlamento catalán. De más está decir que Pilar volvió a Z excitadísima y que no paraba de hablar por teléfono con gente de Barcelona, los pocos que aún permanecían en Barcelona o los pocos que habían regresado de las vacaciones, en fin, muy pocos, lo que no era óbice para que Pilar, adelantándose a los acontecimientos, pulsara, como suele decirse, la opinión de algunas amistades bien colocadas e influyentes. Reconozco que ese estado enfebrecido por una parte contribuyó a mis propósitos y por otra hizo que relajara mis defensas, lo que a la larga me perjudicó. Un consejo para los que empiezan: nunca os descuidéis. Pilar, mi nerviosa e indecisa Pilar, necesitaba hablar con alguien de confianza y, como siempre, yo fui el escogido. El dilema que tenía era de orden moral: ¿debía presentarse a la reelección como alcaldesa sabiendo que meses después debería renunciar al cargo?, ¿podía interpretarse como un gesto de desprecio hacia su gente el preferir el puesto de diputada autonómica?, ¿o tal vez entenderían que defendería mejor los intereses de Z desde su sillón en el Parlamento? Discutimos el problema desde diferentes ángulos y tras hacerle ver que en realidad no existía ningún dilema moral, Pilar se mostró, fueron sus palabras, confiada en el futuro. Tan confiada que, en una especie de festejo anticipado, nos invitó a unos pocos de su círculo íntimo a cenar en el mejor restaurante de Z, especializado en mariscos y pescados, uno de los sitios más caros de la Costa Brava. Aquí cometí mi segundo error. Un error humano, ciertamente, pero que jamás me perdonaré: acudí a la cena en compañía de Nuria. ¡Ah, fue una noche feliz y vertiginosa! ¡Una noche llena de estrellas y de lágrimas y de música perdiéndose en el mar! ¡Todavía puedo ver las caras que pusieron cuando me vieron aparecer del brazo de Nuria! Éramos cuatro parejas, la alcaldesa y su marido, el concejal de Cultura y su esposa, el concejal de Turismo y su esposa, y Nuria y yo, sin duda la pareja sorpresa. Al principio todo marchó sobre ruedas. Mi tocayo, el marido de la alcaldesa, estaba particularmente radiante e ingenioso. Cualquier mal pensado hubiera dicho que la perspectiva de tener a Pilar viajando constantemente a Barcelona lo ponía de buen humor. Daba gusto escucharlo, os lo digo en serio. Personalmente odio a los lenguaraces, pero el caso de mi tocayo era distinto. Antes del primer plato nos agasajó con comentarios maliciosos acerca de algunos conocidos e incluso amigos reputadamente tontos que nos hicieron partirnos de risa. No por nada a Enric Gibert se le tiene en Z por un intelectual y un hombre de mundo. Normalmente es una persona seria y retraída, pero una noche es una noche. Tal vez la presencia de Nuria contribuyera a destapar el frasco del ingenio, no lo sé, en cualquier caso frente a su belleza sólo cabían dos posibilidades: o guardar silencio durante toda la velada o mostrarse inteligente, vivaracho, estupendo conversador. Pilar, me consta, se sintió feliz cuando me vio aparecer con ella. Aparte de que la belleza de Nuria era como una premonición y un símbolo de su triunfo, sé que mi dicha, la dicha de su fiel lugarteniente, también la hacía dichosa; entre sus defectos no está el de ser desagradecida, y Pilar, lo repito, me debía mucho. Con la llegada del primer plato, sopa marinera a la vieja usanza de Z, el protagonismo pasó del marido de nuestra alcaldesa al sobrino del dueño del restaurante. Éste se acercó a la mesa con dos botellas de vino, reserva especial, y aprovechó para preguntarle a Pilar qué tal habían ido las vacaciones en Mallorca. Ambos, Pilar y el sobrino del dueño, son de la misma edad y creo que hasta fueron juntos a la escuela. El sobrino del dueño es uno de los militantes destacados de Convergencia en Z, lo que no es obstáculo para que la amistad que tiene con Pilar sea franca y sincera. Al menos hasta hace poco había una normalidad en esto de las rivalidades políticas, después del escándalo se perdieron los modales, claro, y la naturaleza de perro rabioso de cada uno ha salido a flote, pero entonces todavía imperaba en nuestro trato el sentido común. De hecho, eran los últimos días de sentido común. No, de hecho, eran las últimas horas...

REMO MORÁN:
Los días que precedieron al hallazgo del cadáver

Los días que precedieron al hallazgo del cadáver fueron innegablemente raros, pintados por dentro y por fuera, silenciosos, como si en el fondo todos supiéramos de la inminencia de la desgracia. Recuerdo que en mi segundo año en Z encontraron a una muchacha, casi una niña, asesinada y violada en un descampado. Nunca descubrieron al asesino. Por aquellas fechas hubo una racha de crímenes, todos cortados por el mismo patrón, que se inició en Tarragona y empezó a subir por la costa dejando un reguero de muerte (niñas asesinadas y violadas, en ese orden) hasta llegar a Portbou, como si el asesino fuera un turista de regreso a su patria, un turista extremadamente lento pues entre el primer y el último crimen se inauguró y cerró la temporada de verano. Aquél fue un buen verano en lo que respecta a mis negocios. Hicimos dinero y aún no había tanta competencia. La policía, como era de esperar, solucionó algunos de los asesinatos: muchachos perturbados, empleados que nunca dieron motivo para el más mínimo reproche, un camionero alemán e incluso, en el caso más sonado, el asesino resultó ser un policía. Pero al menos tres de los crímenes quedaron sin resolver, entre ellos el de Z. Recuerdo que el día en que encontraron el cadáver (me refiero al de la muchacha, no al que encontré yo) sentí, antes que nadie me dijera nada, que había ocurrido algo grave en el pueblo. Las calles estaban luminosas, como las calles que uno identifica, a veces, con la infancia, y pese a que aquél fue un verano caluroso la mañana era fresca, con un aspecto de cosa recién hecha que se transmitía a las casas, a las veredas baldeadas, a los ruidos distantes pero perfectamente reconocibles. Luego oí la noticia en la radio y más tarde nadie hablaba de otra cosa; el misterio, el estado de suspensión de la realidad, se fue desvaneciendo paulatinamente. Así, de la misma manera, los cuatro o cinco días que precedieron a mi hallazgo del cadáver fueron días atípicos, no una sucesión de fragmentos y horas, sino bloques sólidos dominados por una sola luz obsesiva: la voluntad de permanecer costara lo que costara, sin oír, sin ver, sin pronunciar el más leve gemido. A esto contribuyó, sin duda, la ausencia de Nuria, que me empujaba a estados de decaimiento y ansiedad, y por otra parte la cuasi certeza de que, en relación con ella, hiciera lo que hiciera estaba condenado al fracaso. Creo que sólo entonces me di cuenta de lo mucho que había llegado a quererla. Saberlo, sin embargo, no ayudaba. Al contrario. Ahora me río cuando recuerdo aquellas tardes, pero entonces no me reía; y ahora, con frecuencia, tampoco es una risa demasiado clara. Escuchaba canciones de Loquillo, mientras más tristes mejor, y casi no salía de mi habitación, o del triángulo que formaba mi habitación, el bar del hotel y un bar de la zona de los campings que aquella temporada regentaron un holandés y una española amigos de Álex. Pero beber en un pueblo de la costa, en pleno hervor turístico, no es beber de verdad. Sólo trae dolores de cabeza. Añoraba los bares de Barcelona o de México DF y al mismo tiempo sabía que aquellos locales, aquellos hoyos inmaculados, se habían esfumado para siempre. Tal vez por eso, un par de veces, estuve en el camping buscando a Gasparín. Nunca lo encontré. La segunda vez que estuve allí la recepcionista me informó, sin que nadie se lo pidiera, que mi amigo era un chico extraño (¡un chico!) y que según sus cálculos debía llevar un par de semanas sin dormir. Ella personalmente lo había ido a buscar más de una vez para que echara una mano, durante el turno de día no iban sobrados de personal. Pero la canadiense siempre estaba vacía. Sólo lo había visto unas tres veces desde que empezó a trabajar y eso no era normal. La tranquilicé explicándole que el mexicano era un poeta y la recepcionista contestó que su novio, el peruano, también lo era y no se comportaba así. Como un zombi. No quise contradecirla. Menos aún cuando dijo, mirándose las uñas, que la poesía no daba nada. Tenía razón, en el planeta de los eunucos felices y los zombis, la poesía no daba nada. La recepcionista y el peruano ahora viven juntos y aunque no pude asistir a la boda les envié una olla exprés supermoderna, aconsejado por Lola, con la que a veces salgo a comprar cositas para el niño. En realidad un pretexto para hablar y tomarnos un café con leche en algún establecimiento del centro de Gerona. En el fondo fue mejor no encontrar a Gasparín, pues mi intención era egoísta a más no poder; quería hablar, explayarme, recordar, si se terciaba, las calles doradas que ambos habíamos pateado en una cierta época (en una cierta *buena* época), pero en realidad todo aquello no era más que darle vueltas a lo que de verdad me importaba: Nuria transformada en una sucesión de imágenes que nada tenían en común con ella. Para mis oscuros propósitos hubiera sido más útil un aficionado a los deportes, pero el único que conocía era un barbero, José, que por otra parte nada sabía de patinaje artístico. Así que me quedé sin nadie con quien hablar y eso pareció ser lo mejor, la manera más digna de ver pasar los días. Creo que ya lo dije, pero si no, lo repetiré: no era el primer cadáver que me encontraba. Antes ya había ocurrido un par de veces. La primera, en Chile, en Concepción, la capital del sur. Estaba asomado al ventanuco del gimnasio en el que permanecíamos recluidos unos cien presos; era de noche, una noche de luna llena en noviembre del año 73, y en el patio vi a un gordo encerrado en un círculo de detectives. Todos lo golpeaban sirviéndose para tal efecto de manos, pies y barras de caucho. El gordo, al final, ni siquiera gritaba. Luego se fue de bruces contra el suelo y sólo entonces me di cuenta de que estaba descalzo. Uno de los tipos lo cogió del pelo y lo observó durante un instante. Otro dijo que seguramente estaba muerto. Un tercer policía comentó haber oído en alguna parte que el gordo aquel no estaba bien del corazón. Se lo llevaron arrastrándolo por los pies. En el otro lado, en el gimnasio, sólo yo y otro preso mirábamos la escena, los demás dormían amontonados por todas partes y los ronquidos y suspiros amenazaban con crecer hasta ahogarnos. Al segundo muerto lo encontré en México, en las afueras de una ciudad del norte, en Nogales. Viajaba con dos amigos, en el coche de uno de ellos, e íbamos a reunirnos con dos chicas que luego no aparecieron. Antes de llegar bajé a orinar y probablemente me alejé demasiado de la carretera. El muerto estaba entre dos montículos de tierra anaranjada, el cuerpo extendido cara arriba, los brazos en cruz, y en la frente, justo encima de la nariz, un agujero mínimo, como hecho con un punzón, aunque en realidad lo había causado una bala del 22. Un arma de marica, dijo uno de mis amigos. El otro era Gasparín, quien tras echarle una ojeada al muerto no dijo nada. A veces por las mañanas, cuando desayuno solo, pienso que me hubiera encantado ser detective. Creo que no soy mal observador y tengo capacidad deductiva, además de ser un aficionado a la novela policíaca. Si eso sirve de algo... En realidad no sirve de nada... Me parece que Hans Henny Jahnn escribió unas palabras al respecto: quien encuentra el cuerpo de una persona asesinada que se prepare, pues le empezarán a llover los cadáveres...

GASPAR HEREDIA:

Desde lejos observé a Carmen y al Recluta en la orilla del mar

Desde lejos observé a Carmen y al Recluta en la orilla del mar, moviendo los brazos, avanzando y retrocediendo, haciendo fintas que estaban más emparentadas con la escritura egipcia que con el enfado, mientras los bañistas, ajenos a su pelea, emprendían el regreso a los hoteles y ellos de golpe quedaban solos, envueltos en una cortina de gotas de agua. Luego, abruptamente, Carmen se alejó de la orilla y no tardó en internarse por el paseo. El Recluta dio media vuelta y tras un instante de vacilación se sentó en la arena. Las olas eran cada vez mayores. Desde donde yo estaba el Recluta semejaba una roca oscura cubierta de musgosidades aparecida la noche anterior en la playa. No me detuve mucho tiempo. Unos doscientos metros por delante oía la voz de Carmen (a ella era imposible verla entre el flujo metódico de los turistas) cantar «Soy una pastora en Arcadia». Equivocado, pensé que se había detenido y que si seguía avanzando inevitablemente la alcanzaría, pero no fue así. Durante largo rato, guiándome sólo por el canto, seguí a Carmen a través del Paseo Marítimo hasta llegar a la explanada. Poco a poco mi paso se fue adaptando al paso de ella, lento, despreocupado, un paso de reina camino a su castillo.

Ahora cantaba «Soy un zorzal herido en las puertas del Infierno» y en los rostros, en algunos de los rostros de los que venían en dirección contraria, era posible observar expresiones de burla, o sonrisas huecas, un brillo que era signo inequívoco del paso de Carmen y de su energía aterrorizante. No voy a demorarme con los detalles de mi persecución. Los hechos se desarrollaron de manera similar a la primera vez que seguí a Caridad. Las calles eran distintas y el ritmo más pausado, pero el destino final era el mismo: el viejo caserón en las afueras de Z. Carmen, eso lo noté cuando abandonábamos el pueblo por la carretera que corría junto al mar, estaba borracha. Cada diez pasos se detenía, sacaba de su bolso una botella y tras un instante, lo que tardaba en beber uno o dos tragos, retomaba la marcha, cada vez más errática y zigzagueante. Por momentos podía oír su voz, traída por la brisa de la tarde que se enroscaba en los roqueríos, entonando «Soy una campana en la nieve, talán, talán», con fuerza y claridad, casi como un himno religioso. Poco antes de llegar al caserón dejé que se adelantara y me detuve a pensar. ¿Qué era lo que de verdad andaba buscando?, ¿quería, pasara lo que pasara, encontrar a Caridad?, ¿y en el supuesto de hallarla estaba dispuesto a hablarle?, ¿estaba resuelto a confesar lo que sentía por ella? Pensé un buen rato, mientras los coches pasaban sin ninguna precaución por las curvas que conducían a Z o a Y, y finalmente me levanté y me interné por el camino privado sin tener claros mis objetivos ni mis sentimientos. Sólo me sostenía la curiosidad, el deseo de ver otra vez la pista de hielo, y la vaga certeza de que debía proteger a Caridad y a la cantante. Al trasponer el umbral del caserón la *Danza del Fuego* consiguió borrar todas las elucubraciones. A partir de allí era como estar drogado. A partir de allí el mundo se convertía en algo distinto y las sospechas y temores previos adquirían otra dimensión, se empequeñecían ante el fulgor de la apuesta escondida en aquellas viejas y sólidas paredes. De pie, junto a la pista, el gordo sostenía un cuaderno de notas y una estilográfica. La disposición de las cajas había variado considerablemente desde mi última visita, por lo que tuve que deslizarme pegado a la pared, en dirección al generador para poder observar sin delatarme, desde una posición favorable, el conjunto de la pista. La energía está fallando, dijo el gordo casi sin mover los labios. La patinadora surgió como una exhalación desde un ángulo de la pista que quedaba fuera de mi campo visual y de inmediato volvió a desaparecer. La pareja me hizo pensar en Carmen y en el Recluta discutiendo en la playa; algo en su manera imperturbable de estar en la casa abandonada los hermanaba con ese par de mendigos. ¿Me has oído?, dijo el gordo, la energía está fallando. La patinadora se detuvo en el borde de la pista, junto a él, y sin moverse, o mejor dicho moviendo sólo las caderas y la pelvis, realizó un número de baile que nada tenía que ver, era evidente, con la *Danza del Fuego*. Los labios del gordo se distendieron beatíficamente. La patinadora, tras este breve intervalo, se inclinó y retomó sus ejercicios sin decir una palabra. El gordo volvió a concentrar su atención en el cuaderno: vaya, vaya, dijo al cabo de un rato, ¿sabes cuánto van a costar las danzas folklóricas de este año? No, ni me interesa, gritó la patinadora. El gordo movió la cabeza varias veces, unas asintiendo y otras negando, y en el espacio que mediaba entre cada afirmación y cada negación fruncía los labios como si fuera a silbar o a besar a alguien en la mejilla. No sé, había algo en el tipo que lo hacía simpático. El rectángulo de la pista parecía más iluminado que la última vez e igualmente el ronroneo del generador, o de los generadores, era mayor, como si la máquina estuviera llegando a su límite y avisara. Qué forma más tonta de despilfarrar el dinero, murmuró el gordo. La chica lo miró de refilón al pasar junto a él, luego elevó el rostro hacia las vigas de donde pendían los reflectores y cerró los ojos. A ciegas su patinaje fue haciéndose progresivamente más lento, pero también más complicado y seguro. En cada giro o en cada cambio se advertía que aquel ejercicio había sido ensayado muchas veces. Finalmente se dirigió hacia el centro de la pista, donde ejecutó un salto con varios giros antes de caer limpiamente y seguir patinando. Bravo, susurró el gordo. Mis conocimientos sobre la materia se reducen a una vez que vi en la televisión de un bar un programa sobre Holiday On Ice y nada más, pero aquello me pareció perfecto. La patinadora seguía sin abrir los ojos e intentó repetirlo. Pero lo que tenía que haber sido una figura estilizada, una T sustentada en la pierna derecha mientras el resto del cuerpo en línea horizontal cortaba la pista en dos mitades iguales, se convirtió en un sobresalto de piernas y brazos y terminó con la patinadora de espaldas sobre el hielo. Justo entonces, en el otro extremo, vi la silueta de Caridad, oculta como yo entre las cajas. ¿Te has hecho daño?, el gordo hizo ademán de invadir la pista pero se contuvo. No, dijo la chica sin intentar levantarse; tendida en cruz, las piernas un poco separadas y el pelo desparramado a modo de almohadilla entre su cabeza y la capa de hielo, en su rostro no se percibían señales de dolor o de disgusto ante el número mal ejecutado. Pero mi atención se hallaba dividida entre la patinadora y la silueta del otro extremo que por momentos, y para mi propio horror, parecía la sombra de una gran rata escuálida y amenazante. ¿Por qué no te levantas? ¿Te sientes bien? De puntillas en el borde de la pista el gordo dejaba traslucir, a fogonazos, toda su aprensión. Estoy bien, de verdad, no deberías hablar tanto, no me puedo concentrar, dijo la patinadora desde el suelo helado. ¿Hablar? Pero si apenas he abierto la boca, dijo el gordo. ¿Y esos papeles que leías en voz alta?, dijo la patinadora. Es parte de mi trabajo, Nuria, no seas tan susceptible, gimoteó el gordo, además no los leía en voz alta. Sí que lo hiciste. Tal vez te comenté un par de cosas, pero nada más, venga, Nuria, levántate, estar ahí tirada te puede hacer daño en la espalda, dijo el gordo. ¿Por qué? Pues porque eso está muy frío, mujer. Ven aquí, ayúdame a levantarme, dijo la patinadora. ¿Qué?, el gordo ensayó una sonrisa compungida. La muchacha permaneció silenciosa, esperando. ¿Quieres que te ayude? ¿No te sientes bien? ¿Te has hecho daño, Nuria? El cuerpo del gordo osciló de forma peligrosa en el filo de la pista. Algo en él evocaba un péndulo. Un aire inquietante de mecanismo de relojería. En el otro extremo la cabeza de Caridad sobresalía entera por encima de las cajas. Ven y tiéndete junto a mí, no está tan frío, dijo la patinadora. ¡Cómo no va a estar frío! Te lo juro, dijo la patinadora. El gordo se dio la vuelta. La cabeza de Caridad desapareció instantáneamente. ¿La habían descubierto? Vamos, deja de jugar y sigue ensayando, dijo el gordo tras escudriñar la oscuridad. La patinadora no contestó. Por detrás de las cajas volvieron a aparecer los pelos en punta de la muchacha del cuchillo. Pensé que era improbable que el gordo la hubiera visto, aunque antes, al volverse de esa manera, seguramente esperaba encontrar algo detrás. Ven aquí, dijo la patinadora, no tengas miedo. Ven tú, las palabras del gordo salieron apenas en un hilo de voz. Sin dejar de mirar el techo la patinadora sonrió ampliamente y dijo silabeando de forma muy clara: caguica. El gordo suspiró, exasperado, luego hizo un gesto de desánimo dirigido a nadie en particular pero que le salió del corazón, y dio un corto paseo alrededor de la silla, de espaldas a la patinadora, mirando con disimulo las hileras de cajas. La chica, sin prestarle atención, se sentó sobre el hielo. ¿Qué hora es? El gordo miró el reloj y dijo algo que no entendí. No creo que hubiera pasado nada, salvo una caída o dos, eres muy exagerado, dijo la patinadora. Puede ser, en la voz del gordo había rencor y cariño, tú también eres exagerada. Desde pequeñita, corroboró la patinadora. Mira, el gordo se levantó, feliz, yo no soy tu preparador físico pero sé que después del entrenamiento te hace mal tenderte en el hielo. Estás transpirada y te enfrías. Ya lo sé, soy muy tonta, dijo la patinadora. Te lo digo en serio, Nuria, dijo el gordo. Durante un instante permanecieron en silencio, estudiándose mutuamente, la chica en el centro de la pista, el gordo en el borde de cemento, balanceándose en las puntas de los pies y con las manos en los bolsillos. De pronto la patinadora comenzó a reírse. Me gustaría verte patinar, dijo entre espasmos de hilaridad. Una hilaridad fría y repentina como el hielo. Sería muy divertido, me caería, contestó el gordo. Eso era lo que estaba pensando, los golpes te los llevarías tú, y yo te obligaría a patinar ocho horas diarias, hasta que te quedaras dormido sobre la pista. No creo que fueras tan cruel, dijo el gordo. ¿Qué clase de vestido podrías llevar? Ay, uno azul, con volantes, y sí que sería cruel, tú no me conoces. El gordo asentía y fingía enojarse y de vez en cuando dejaba escapar una carcajada, como impulsada a presión desde muy adentro. Algún día patinaré... para ti, susurró. Eres incapaz, dijo la patinadora. Te lo prometo, Nuria, el gordo movió la mano izquierda en un gesto extraño, como si abriera una puerta o estuviera soñando. Sentada en el hielo la chica lo contemplaba ya sin reírse, atenta, a la expectativa de una declaración, pero el gordo no dijo nada más. De pronto la patinadora hipó. ¿Qué ha sido eso?, dijo el gordo, mirando hacia todas partes menos hacia la pista. Mierda, tengo hipo, dijo la patinadora. Ya ves, te lo advertí, ¿por qué no te levantas? Es de tanto reírme, tú tienes la culpa, dijo la patinadora. Ven, te daré un vaso de agua y se te pasará, dijo el gordo. Eso no funciona conmigo, me vas a hacer beber al revés, ¿no? El gordo la miró con admiración. Era el truco de mi abuela, dijo la patinadora, una vez casi me rompí los dientes. La patinadora y el gordo guardaron silencio mientras esperaban el próximo hipo; incluso la *Danza del Fuego* parecía haber bajado de volumen. En el otro extremo el cuello de Caridad se alzó por encima de las cajas y ahora podía verse, aunque con dificultad, su busto completo. Estaba mucho más delgada que en el camping, aunque las sombras, el espacio lleno de aristas que la enmarcaba, contribuían a extremar su delgadez. El hipo de la patinadora resonó en todos los rincones. Bueno, a mí siempre me ha dado resultado, dijo el gordo. Es que tú eres muy cuidadoso y tomas precauciones para no morder el vaso y romperte un diente, dijo la patinadora. Sólo hay que apoyar los labios en el borde del vaso, eso es todo. ¿Quieres ver cuál es mi método? El gordo permaneció rígido, como si hubiera visto un león en medio de la pista, y luego intentó decir no con la cabeza, pero demasiado tarde. Ya la patinadora chasqueaba las hojas de los patines y comenzaba a deslizarse sobre el hielo hasta llegar a donde el gordo, que la esperaba tembloroso y solícito, con una toalla enorme. Estás fría, dijo el gordo, déjame que te frote un poco. Apaga la cinta, dijo la patinadora. El gordo dejó la toalla colgada en la espalda de la chica y rápidamente cumplió la orden...

ENRIC ROSQUELLES:
Lamentablemente, después de cenar nos fuimos a una discoteca

Lamentablemente, después de cenar nos fuimos a una discoteca, por imposición de Pilar, que de pronto sintió deseos de bailar con su marido, algo que no había sucedido desde hacía mucho y que a todos les pareció fantástico. Menos a mí. Debí coger a Nuria y desaparecer en el acto, pero pensé que ella se merecía una noche de esparcimiento. Por supuesto, mi fallo fue no prever que alguien sacaría el tema del patinaje. La presencia de Nuria lo hacía inevitable y así fue, el momento tan temido llegó mientras contemplábamos desde una mesa cómo la gente hacía el payaso en la pista de baile, sin atrevernos, todavía, a imitarlos. El concejal de Cultura, o su mujer, qué más da, abrió el fuego preguntando si había «alguna competición a la vista». La respuesta, llena de inocencia, fue afirmativa. Inicialmente los comentarios se limitaron a declaraciones y consejos acerca del pabellón de Z: que quedara bien alto, sobre todo; pero luego, a falta de algo mejor, supongo, se tocó el tema de la dureza y delicadeza del patinaje (una mariposa de acero, dijo a gritos el concejal de Turismo, muy satisfecho de la metáfora) y allí Nuria no tuvo más remedio que darles la razón y con toda su candorosa energía (pobre Nuria) asegurarles que entrenaba cinco horas diarias como mínimo. ¿En Barcelona?, preguntó mi tocayo Enric Gibert. No, en Z, dijo Nuria con la rotundidad de una losa al cerrarse sobre una sepultura. Mi sepultura. Menos mal que soy un hombre de reflejos rápidos y de inmediato la saqué a bailar. Al alejarnos hacia la pista miré hacia atrás y vi que Pilar me contemplaba fijamente. Los demás reían y hablaban, pero Pilar, que puede a veces ser descuidada y negligente pero que no tiene un pelo de tonta, no me quitaba de encima unos ojos oscuros y taladradores. Por mí, jamás hubiera regresado a aquella mesa. Estaba sudando, y no precisamente por el baile, algo que nunca se me ha dado bien pero en cuyos misterios me sumergí sin reservas, tal vez para escapar, aunque fuera momentáneamente, de la catástrofe que ya intuía, tal vez para disfrutar la cercanía de Nuria por última vez. La verdad, mal no lo hice. Todos mis antiguos temores se desvanecieron en el tráfago de la pista de baile y creo que estoy en disposición de dar la clave. Es ésta: para bailar bien hay que olvidarse del propio cuerpo. Simplemente no existe. Mi cuerpo, con algunos kilos de más y ajeno a la estética al uso, se cimbreaba, botaba, levantaba una pierna, luego otra, luego una pierna y un brazo, luego saltaba o daba media vuelta, y todo sin que yo tuviera nada que ver, al contrario, mi yo verdadero se encontraba en ese momento agazapado detrás de mis globos oculares, basculando la situación, sumando los pros y los contras, intentando en un ejercicio telepático leer los pensamientos de Pilar (reconozco que estaba un poco nervioso), midiendo el alcance de las presumibles preguntas y confeccionando las mejores respuestas. Cuando volvimos a la mesa estaba literalmente empapado en transpiración. Las esposas de ambos concejales se creyeron en el deber de hacer comentarios picantes acerca de mi desconocida afición a bailar que resumieron expresando qué calladito te lo tenías. Acepté agradecido los elogios y las burlas pues me proporcionaban unos segundos adicionales. Pilar, por el contrario, no se mostraba nada locuaz; su marido, poco antes, se había levantado en dirección al lavabo de caballeros y aún no había regresado. Impulsados por mi ejemplo los concejales y sus mujeres se dirigieron a la pista y en la mesa, en la horrible semipenumbra de nuestra mesa, sólo quedamos Pilar, Nuria y yo. Recuerdo que tocaban una música lenta, ¿un bolero?, y que todos aquellos que un momento antes saltaban entre las luces dejaron caer los hombros, repentinamente lánguidos, y se echaron los unos en brazos de los otros. En medio de mi desesperación di gracias al cielo de que ya no estuviéramos bailando pues me habría sabido mal que Nuria reposara su cabeza en mi hombro o en mi pecho (como hacían ahora todas las chicas, incluidas las mujeres de los concejales) apestosos de sudor. Es parte de mi carácter, siempre he intentado dar una buena imagen de mí. Sé que ahora alguno dirá que en cierta ocasión me olían los calcetines o la boca. Mentira. En mi aseo personal he sido y seré una persona puntillosa, incluso maniática, y esto ha sido así desde que era adolescente. Pero a lo que iba: allí estábamos los tres, con la vista puesta en los bailarines como un buen pretexto para no mirarnos a nosotros mismos, y el marido de la alcaldesa sin aparecer. Exagerando, se podría decir que escuchaba la respiración de Pilar, agitadísima, como la mía, pero no es cierto, la música ambiental, como la de todas las discotecas, estaba demasiado fuerte. Cuando me decidí a mirarla, el rostro de Pilar me asustó: era como si su carne, sus facciones, estuvieran siendo chupadas por su calavera, una especie de agujero negro facial en el que sólo sobrevivía un rastro de determinación en la mirada y en las arrugas de la frente. En fin, me di cuenta de que iba a tener problemas. Nuria, estoy dispuesto a jurarlo donde sea, no tenía idea de lo que ocurría. Su semblante, su hermoso y perfecto rostro, sólo mostraba la convulsión producida por la tanda de bailes que acababa de marcarse y nada más. De entre las sombras la figura alta y noble de Enric Gibert reapareció. Sácala a bailar, ordenó Pilar a su marido, sin duda una estratagema para quedarnos solos. Nuria no puso ningún reparo y desde mi silla los vi, primero Nuria, después mi excesivamente ágil tocayo, acercarse a la pista y entrelazar sus brazos. Una bola de calor se instaló en mi estómago. No era el momento para sentir celos y sin embargo los sentí. Mi imaginación se desbocó: veía a Nuria y al marido de la alcaldesa desnudos, acariciándose, veía a todo el mundo haciendo el amor, como si tras un ataque nuclear ya nunca más pudieran abandonar la discoteca y nada refrenara las pasiones y los bajos instintos, todos convertidos en animales calientes, menos Pilar y yo, los únicos fríos, los únicos serenos en medio de la orgía. De pronto, con un sobresalto, me di cuenta de que Pilar estaba hablándome. Presté atención. ¿Dónde está la pista de hielo?, dijo. Intenté vanamente cambiar de tema, incluso mencioné su futuro empleo como diputada y los trastornos que le acarrearía, pero nada, Pilar siguió inquiriendo por la ubicación de la pista de hielo, como si eso importara algo. Qué más da, dije, en algún sitio tiene que entrenarse, ¿no? Ahí Pilar escupió un par de tacos, secos y de grueso calibre, y por un segundo sentí en mi oreja sus labios que expelían raudales de calor a través de la capa de pintura. ¿Dónde, carajo? En el Palacio Benvingut, creí que ya lo sabías, dije. Por debajo de la mesa el tacón del zapato de Pilar se clavó en mi empeine. Debo haber puesto cara de sufrimiento porque Pilar volvió a gritarme al oído otra variedad de groserías. No te pases, susurré. Por suerte en ese momento regresaron los demás. Todos se dieron cuenta, el rostro de Pilar no dejaba lugar a dudas, de que algo turbaba la paz mental de nuestra alcaldesa, pero nadie quiso afrontar el hecho, al contrario, parecían más alegres que al principio, sobre todo el marido de la alcaldesa, que no paraba de hacer bromas con y para Nuria, mientras los concejales y sus mujeres estaban a punto de coger una borrachera de campeonato. Sólo de recordar aquellos minutos vuelvo a sudar y a sentirme aplastado. Por descontado, traté de mantener la cabeza erguida y seguir la corriente de alguna de las conversaciones que se desarrollaban en nuestra mesa (Enric, Nuria y la mujer del concejal de Cultura por un lado, y el concejal de

Cultura, el concejal de Turismo y su mujer, por el otro) pero me fue imposible entender nada: todo era un caos de risas, de vasos semivacíos y confundidos, y de onomatopeyas indignas siquiera de ser oídas. Pilar, que aparentemente participaba en la charla del grupo de los concejales, de pronto se levantó, firme y dura como un árbol, y más que con palabras, aunque supongo que algo dijo, con un gesto, me ordenó que fuéramos a bailar. Para mi fortuna la serie de bailes lentos aún continuaba. Y digo para mi fortuna, primero, porque estaba verdaderamente cansado, y segundo porque no importaba el tipo de música, de todas maneras Pilar me iba a tener cogido entre sus brazos para que pudiéramos hablar. La verdad, incluso en ese momento, mi admiración y cariño por ella permanecieron incólumes. Dignas de encomio eran su entereza, su capacidad de no doblegarse y su obstinación, virtudes pilarescas al cien por cien. De todos modos, pese a la estima (mutua, estoy seguro), aquél fue el baile más atroz de mi vida. Pilar, con una sonrisa ladeada que no le conocía, me llevaba para donde le daba la real gana y pese a que de tanto en tanto me envaraba y era difícil moverme, finalmente hacía lo que ella quería. No sé si Nuria nos vio o no nos vio, nunca tuve valor para preguntárselo; el espectáculo, ay, debió ser lamentable. En concreto, el interrogatorio de Pilar se centraba en un solo punto: quiénes más conocían la existencia de la pista de hielo. No cuándo la había construido, ni para qué, ni con qué fondos, sino quiénes estaban en el secreto de su existencia. Le aseguré que todos los que habían visto la pista (muy pocos, en realidad) sólo tenían una idea parcial de lo que significaba en su conjunto mi proyecto. Luego le dije que pensaba lanzar la idea en el pleno de septiembre u octubre, una vez acabada la temporada de verano. La pista podía abrirse al público en diciembre, coincidiendo con las navidades, los niños a mitad de precio e inauguración a bombo y platillo. En fin, señalé una gama variadísima de salidas y justificaciones, pero nada consiguió calmarla. Mucho más tarde, cuando todos nos despedimos,

Pilar se acercó a darme un beso en la mejilla, como el beso de Judas a Cristo, pensé entonces, y susurró: estás a punto de hundirme, hijo de puta. De todas maneras, me pareció que estaba un poco más tranquila...

REMO MORÁN:

La vieja es colega tuya

La vieja es colega tuya, dijo Lola la tarde en que nos vimos en su oficina. Ésa fue la señal. Pero antes, a mediodía, había recibido una postal firmada por mi hijo desde algún lugar del Peloponeso. Evidentemente la postal estaba escrita por Lola, entre otras razones porque el niño no sabía escribir. Son cosas que hace mi exmujer, en apariencia un poco salidas de tiesto, como poner voz de niña mongólica, o voz de niña malísima, o decir que sus pies son ranitas y hablar en consecuencia moviendo los dedos del pie: hola, soy una ranita, ¿cómo estás? La verdad, ahora que lo pienso, la mayoría de las mujeres que he conocido tenían la facultad de convertir algunos miembros de su cuerpo (como manos, pies, rodillas, ombligos, etcétera) en ranitas, elefantitos, pollitos que hacían pío pío y que luego picaban, serpientes sabelotodo, cuervos blancos, arañitas, canguritos perdidos, cuando no se transformaban del todo en leonas, vampiros, delfines, águilas, momias, jorobadas de Notre Dame. Todas, menos Nuria, cuyos dedos eran dedos y cuyas rodillas eran siempre rodillas. Tal vez faltara tiempo y confianza, tal vez fuera una cuestión de sentido del humor, el caso es que Nuria, a diferencia de las otras, en todas las circunstancias era ella misma, construida en un solo bloque compacto. No sólo no se transfiguraba en ratoncito sino que a veces costaba verla convertida en lo que uno creía que era, Nuria Martí, patinadora olímpica, la muchacha más bonita de Z. En fin, había recibido una postal de un fauno con el pene erecto y mi hijo decía cosas muy graciosas y un pelín críticas al respecto. Se notaba que era Lola y que se lo estaba pasando bien. Me alegró que se acordara de mí. Unas cuatro horas después me llamaron por teléfono y para mi sorpresa, al otro lado de la línea, la voz que escuché fue la de Lola. Al principio pensé que llamaba desde Grecia y de inmediato imaginé que le había ocurrido algo al niño. Pero no, no había ocurrido ningún accidente y tampoco me llamaba desde Grecia. Hacía casi una semana que habían regresado, un viaje maravilloso, el niño estaba encantado con Iñaki, una lástima que sólo hubieran sido quince días. Telefoneaba porque necesitaba hablar conmigo, pedirme un favor, nada urgente pero sí curioso, remarcó esta palabra, en realidad no lo hubiera hecho si el resto de sus compañeros no estuvieran de vacaciones, se disculpó, pero dado que en la oficina de Servicios Sociales sólo estaban ella y una educadora jovencita recién contratada, pues, bueno, no sabía qué hacer y no se le ocurrió nada mejor que llamarme. Acerca de qué quería hablar prefirió no decirlo por teléfono. Antes de colgar pregunté si no había tenido tiempo de telefonearme antes. ¿Para qué?, dijo. Para ver al niño, contesté. El niño está de colonias. Por su tono de voz deduje que estaba nerviosa o enfadada. A las siete y media me dirigí caminando a la oficina de Servicios Sociales, ubicada en un barrio obrero de espaldas al mar, bastante aislada de cualquier otra dependencia del Ayuntamiento. La oficina, en realidad una casa de dimensiones minúsculas construida en los sesenta, ofrecía un aspecto por lo menos descuidado. La misma Lola abrió la puerta, tras una espera que me pareció excesiva, y me condujo hasta un cuarto en el fondo de la casa que daba a un patio interior de cemento lleno de lavaderos. En los lavaderos, que ya nadie usaba, había tiestos con plantas. El pasillo y las habitaciones tenían las luces apagadas. De la otra educadora no vi señales, por lo que presumí que estábamos solos. En su oficina Lola tenía una expresión cansada y feliz. Por un instante pensé que yo también tendría esa expresión si no nos hubiésemos separado. Cansado y feliz. Repentinamente sentí deseos de acariciarla y hacerle el amor. En lugar de pedírselo, tomé asiento y me dispuse a escuchar lo que tenía que decirme. Primero hablamos del viaje a Grecia y del niño. Luego, cuando ambos nos hubimos reído bastante, como solíamos hacer, habló de la vieja. La historia era la siguiente, tal como me la contó Lola: una mendiga usuaria de los servicios, del tipo de los usuarios irregulares, sin domicilio fijo aunque residente esporádica en Z, había acudido la tarde anterior con un problema. La vieja vivía con una muchacha; la muchacha estaba enferma; la vieja no sabía qué hacer. La muchacha no quería ir al hospital; de hecho, ni siquiera sabía que la vieja estaba intentando mediar en su problema, ella tampoco era de Z, había llegado con el verano, probablemente de Barcelona, y no se dedicaba a la mendicidad aunque a veces acompañara a la vieja en sus callejeos. Según la vieja, la muchacha diariamente sangraba de la boca y de la nariz. Además comía como un pajarito; de seguir así sin duda moriría. La vieja opinaba que si Lola iba personalmente a buscar a la chica y luego la llevaba al hospital, ésta no se resistiría. Acerca de este punto fue taxativa: o la iba a buscar Lola o alguien en quien Lola tuviera suficiente confianza o la chica no saldría de las ruinas. Me costó comprender que por ruinas se refería al Palacio Benvingut. A partir de ese momento el asunto comenzó a interesarme. La vieja y la muchacha vivían allí desde casi el comienzo de la temporada. En palabras de la mendiga «ambas estaban preparadas contra todo», la chica incluso tenía un cuchillo, un enorme cuchillo de cocina, así que ojo con chivarse. Por supuesto, Lola no le preguntó qué quería decir con eso, con quién temía que se chivara. La vieja era un poco maniática, explicó. Finalmente había accedido a ir y entre las dos concertaron el día y la hora de la visita. Cuando todo estuvo arreglado la vieja dio un par de saltos de alegría (increíbles para su edad) y se rio tanto que Lola pensó que podía darle un ataque al corazón o ahogarse allí mismo. Como si le hubiera tocado el cupón de los ciegos, dijo. El problema fue que poco después Lola descubrió que con las prisas no había reparado en que tenía la agenda llena de compromisos ineludibles que le imposibilitarían acudir al Palacio Benvingut, pero tampoco quería que la vieja se sintiera postergada. ¿Por qué te interesa tanto? No sé, dijo Lola, es una vieja encantadora, me trae suerte, la conocí poco después de quedarme embarazada. Ah, bueno, dije. Incomprensiblemente se me llenaron los ojos de lágrimas y me sentí solo y perdido. Si quieres voy yo, dije como un condenado a muerte despidiéndose de su familia. Era lo que te quería pedir, dijo Lola. El asunto era sencillo: debía presentarme de diez a once de la mañana en el Palacio Benvingut y conducirlas al hospital. Del resto se encargaba Lola, que para entonces se habría desocupado y nos estaría esperando en la puerta. Eso era todo. ¿La muchacha del cuchillo no será peligrosa?, dije, nada en serio, más bien con ánimo de bromear y prolongar nuestro encuentro. No, dijo Lola, tal como la pintan debe estar hecha polvo. ¿Y qué es eso de que fueras tú o alguien de tu confianza? Tonterías de la vieja, dijo Lola, un personaje que seguramente te interesará, colega tuya, por otra parte. ¿Colega mía? Sí, dijo Lola, la vieja en sus tiempos también fue artista...

GASPAR HEREDIA:

Después de que el gordo y la patinadora se marcharon

Después de que el gordo y la patinadora se marcharon decidí quedarme en el caserón hasta que amaneciera. Pero no en el interior, y menos en el galpón de la pista de hielo, sino en los jardines que rodeaban la mansión. Pronto, y manteniendo siempre un andar sigiloso y prudente, encontré un lugar apropiado bajo un árbol frondoso y acogedor en donde me dispuse a esperar las primeras luces del día. De más está decir que no tenía intención de quedarme dormido, acostumbrado como ya estaba al trabajo nocturno, aunque en algún momento, sin que me diera cuenta, el sueño debió vencerme. Cuando abrí los ojos tenía las piernas agarrotadas y el color del cielo era morado con estrías anaranjadas que parecían estelas de aviones a chorro. El lugar donde me hallaba estaba justo enfrente de la puerta principal del caserón, por lo que decidí buscar un sitio más discreto. Tenía la vaga esperanza de ver salir a Caridad y de hablar con ella. Recuerdo que mientras buscaba un lugar donde continuar la espera el corazón me latía demasiado aprisa. Por lo demás, creo que estaba tranquilo. Unas dos horas después, cuando el color del cielo se había transfigurado en un azul deslavado y por el horizonte se acercaban unas nubes gigantescas y oscuras, vi salir a Carmen por la puerta principal. Tenía el aplomo de un ama de casa que va al mercado, la cantante, con su bolsa colgada del brazo, el pelo peinado hacia atrás salvo una especie de flequillo que cubría parte de la frente y de la ceja izquierda; se detuvo en el porche, muy oronda, y miró hacia ambos lados antes de bajar, con seguridad, los escalones. Ya en el jardín volvió a detenerse y su mirada de águila se dirigió hacia el lugar donde yo estaba. Con un gesto de la mano me indicó que la siguiera. Salí de mi escondite y remontamos juntos el camino privado, a paso lento, como si disfrutáramos de la mañana. Carmen no estaba nada sorprendida de haberme encontrado, al contrario, le extrañaba que no hubiera aparecido antes. Daba por sentado que yo estaba «legalmente» enamorado de Caridad y que ésta, tarde o temprano, más temprano que tarde, me correspondería y «todos viviríamos felices». Mientras subíamos la cuesta y poco a poco dejábamos atrás el caserón, comparó la frescura de la mañana con la salud de hierro necesaria para vivir sin amor (e incluso con amor) en estos tiempos difíciles. Una vez más habló de la casa que el Ayuntamiento le conseguiría y, sorpresivamente, me invitó a vivir con ella: necesitaremos un vigilante, dijo entre risas. Un hombre que nos cuide. Yo también me reí: sobre los pinos agarrados de los riscos distinguí unos pájaros que me parecieron enormes y que también se reían. Cuando ante nosotros apareció Z, después de un recodo en el camino, su humor se apagó de golpe. Para remediarlo se puso a hablar de Caridad, pocas cosas sabía de ella, pero sin duda muchas más que yo, por lo que la escuché atentamente. Habló de la simpatía y de la docilidad, de la lógica y de la astucia, mascullando interjecciones y adoptando un tono cada vez más grave. Luego se concentró en el único aspecto que de verdad parecía preocuparle: su falta de apetito. Caridad simplemente había dejado de comer. Desde que la conocía, o sea desde los días en el camping, su dieta consistía únicamente en algunas pastas dulces y en yogur líquido con sabor a fresa. A veces tomaba un café con leche o una cerveza, sobre todo cuando acompañaba a Carmen a trabajar, pero eran excepciones y además no solían sentarle bien: se volvía más hosca y silenciosa de lo que era. En más de una ocasión Carmen la había empujado a comer un bocadillo de jamón, por ejemplo, pero nada. Caridad, o el estómago misterioso de Caridad, sólo admitía donuts, magdalenas, chuchos, palmeras, mantecados, ensaimadas, galletas de coco y demás dulces por el estilo. ¿En qué consistía un desayuno? Caridad no desayunaba ni siquiera un buche de agua. ¿Y un almuerzo? Caridad despertaba a la una de la tarde o a las dos, así que tampoco almorzaba. ¿Y una comida? Una comida consistía en un donut y una magdalena, que cogía de una caja donde ambas guardaban las provisiones y que tenían oculta en una habitación del caserón, a salvo de las ratas y de las hormigas. ¿Y una merienda? Una merienda consistía en un dedal de yogur líquido y nada más. ¿Y la cena? La cena, que solían tomar juntas, consistía generalmente en dos o tres donuts y algunos tragos de yogur líquido. Caridad sentía verdadera pasión por los donuts. También por el yogur líquido. Por supuesto, había adelgazado y ahora hasta podían contársele las costillas, pero era igual, la voluntad de Caridad y su alimentación de pajarito constituían un todo inamovible. Carmen no se explicaba, por más vueltas que le daba al asunto, cómo podía aguantar tanto tiempo a base de una dieta tan chimichurri, pero el caso es que aguantaba y que cada día estaba «más preciosa». Cuando llegamos a las calles de Z la invité a desayunar. Carmen pidió churros con chocolate. El camarero, un adolescente somnoliento que no estaba para bromas, dijo que no tenían, por lo que se conformó con un bizcocho y una cerveza. Hablar demasiado le producía sed. Yo pedí café con leche y dos donuts. Antes de decirnos adiós preguntó si había estado alguna vez en el interior del caserón. Dije que no. Bien hecho, dijo ella, pero no me creyó...

ENRIC ROSQUELLES:
Al día siguiente de la fiesta en la discoteca

Al día siguiente de la fiesta en la discoteca apareció la maldita vieja como una tromba en mi oficina del Ayuntamiento. La mañana era tranquila, como envuelta en una toalla mojada y silenciosa, una mañana otoñal, aunque la tranquilidad era sólo aparente, o mejor dicho estaba únicamente en un lado de la mañana, en el lado izquierdo, por poner un ejemplo, mientras en el lado derecho hervía el caos, un caos que sólo yo escuchaba y percibía. Ateniéndome a los hechos debo decir que desde el momento en que abrí los ojos comencé a sentirme inquieto, como si hasta en el aire de mi cuarto fuera posible oler la desgracia. Esta sensación, que no me era desconocida, después de ducharme y desayunar, y luego mientras viajaba en coche rumbo a Z, se fue atenuando considerablemente, pero los aspectos irracionales del problema seguían allí, en el coche y después en la oficina, no sé si me explico, con la leve forma de un presentimiento. Vaya, me parecía advertir segundo a segundo el envejecimiento de las cosas y de las personas, todos atrapados en una corriente de tiempo que sólo conducía a la miseria y a la tristeza. Entonces la puerta del despacho se abrió con un golpe sordo y apareció la vieja seguida por mi secretaria, que entre afligida y enojada intentaba hacerla volver a la antesala. La vieja, menuda y con el pelo cortado en forma dispareja, clavó sus ojillos en mí, en un reconocimiento rápido e intenso, antes de anunciar que tenía algo que decirme. Al principio ni siquiera me levanté, estaba demasiado concentrado en mis propias intuiciones como para darle importancia a un hecho que, dentro de lo que cabe, no era anormal en mi trabajo. Un porcentaje alto de usuarios piensan que acudiendo al jefe encontrarán una solución efectiva a sus problemas. En casos así lo que hago es enviarlos, con alguna palabra amable y mucha paciencia, a los despachos instalados en el barrio de M, en donde encontrarán la ayuda de nuestras asistentes y educadoras. A punto estaba de hacerlo cuando la vieja, tras verificar que era yo y no otro quien la miraba tranquilamente desde el otro lado de la mesa, pronunció en voz baja y guiñándome un ojo su frase talismán: quería discutir conmigo o con la alcaldesa el asunto de la pista de hielo. Todo lo que había sospechado y temido a lo largo de la mañana afloró de golpe, se corporeizó, como si estuviera presenciando una película de ciencia-ficción, con una fuerza demoledora. No exagero si digo que poco faltó para que me echara a temblar. No obstante, en un ejercicio de autodominio, conseguí que los nervios no me delataran y fingiendo un súbito y divertido interés pedí a mi secretaria que nos dejara solos. Ésta soltó a la vieja, a la que tenía cogida del brazo, y me miró como si no diera crédito a sus oídos. Tras repetirle la orden se marchó cerrando la puerta. La famosa discusión que ahora dicen que tuve con la vieja es, por supuesto, una mentira, una más de las muchas que se han dicho. Desde la mesa de mi secretaria no se puede escuchar nada de cuanto se dice en mi oficina, a menos que se hable a gritos, y puedo asegurar que no hubo gritos, ni amenazas, ni chillidos. La puerta en todo momento permaneció cerrada. Mi estado de ánimo, como es fácil de suponer, era de lo peor que pueda imaginarse. El término agotado describe con bastante precisión la actitud que adopté en presencia de la vieja; ésta, por el contrario, parecía poseída por una vitalidad y energía desbordantes. Mientras hablaba, a veces con un timbre normal y a veces en susurros, era capaz de mover las manos de forma tal que invariablemente recordaba una película de faraones y pirámides. Entendí, en medio de la vorágine de despropósitos, que quería un piso de protección oficial, una «pensión o una ayuda», un trabajo para un monstruo innominado. Dije que nada de aquello estaba en mis manos. Exigió entonces la presencia de la alcaldesa. De alguna manera nos asociaba a ambos con la existencia de la pista de hielo. Pregunté qué pensaba sacar de una entrevista con la alcaldesa y su respuesta confirmó mis temores: según la vieja, Pilar sería más receptiva a sus demandas. Dije entonces que no era necesario, que ya vería yo de arreglar algo su situación y acto seguido saqué mi billetera y le di diez mil pesetas que la vieja guardó en su bolso de inmediato. A continuación, procurando que mi voz sonara distendida, le expliqué que por el momento nada se podía hacer con respecto al piso de protección oficial, que cuando acabara el verano, digamos a mediados de septiembre, ya vería la manera de encontrarle algo. La vieja inquirió por su pensión. Saqué una hoja y le tomé algunos datos: el problema, expliqué, era exactamente el mismo que con respecto al piso, hasta que los funcionarios no volvieran de vacaciones no había nada que hacer. La vieja permaneció pensativa durante un rato, y poco después me di cuenta de que, al menos de momento, el asunto había quedado en suspenso. Antes de despedirse dijo que con este trato ella echaba borrón y cuenta nueva a nuestros antiguos conflictos. Sin poder ocultar mi sorpresa le aseguré que difícilmente podíamos haber tenido algún problema puesto que era la primera vez que nos veíamos. La vieja, entonces, se puso a hacer memoria y resultó que hacía años había aparecido por los Servicios Sociales. Rememoró lo pasado con palabras claras y lúcidas que me hicieron temblar de pies a cabeza. Quiero que lo entendáis: yo estaba sentado detrás de la mesa y la maldita bruja, con palabras llenas de aceite y filos, fue componiendo una imagen en medio de la cual únicamente existíamos ella y yo, y ambos sin posibilidad de escapar. Pero ahora borrón y cuenta nueva, dijo con los ojos brillantes. Asentí moviendo la cabeza. Tenía el convencimiento de que no había podido engañarla con ninguna de mis mentiras. Me sentí, como cualquiera de vosotros, atrapado...

REMO MORÁN:

A las diez en punto de la mañana cogí el coche y salí

A las diez en punto de la mañana cogí el coche y salí rumbo al Palacio Benvingut. El día estaba nublado y las curvas de la carretera comarcal a Y son conocidas por sus accidentes, por lo que conduje con extremo cuidado. La circulación era escasa y no tuve ningún problema en encontrar el palacio, un lugar que siempre despertó mi interés, tanto por su arquitectura, que se prestaba a la confusión, como por la leyenda acerca de su constructor y primer propietario. La belleza de la mansión, aunque en ruinas, se mantenía, como en tantas otras casas de la Costa Brava y el Maresme que nadie habita. La puerta de hierro del jardín estaba abierta, pero no lo suficiente como para que pasara un coche. Me bajé y la abrí del todo. La puerta chirrió horriblemente. Por un momento pensé en seguir a pie, pero luego me arrepentí y volví al coche. El trecho que había entre la puerta principal y la casa propiamente dicha era considerable y corría a través de un camino mitad de grava y mitad de tierra, bordeado de arbolitos anémicos y de parterres destrozados. En el interior del jardín se alzaban unos cuantos árboles grandes y más allá los matorrales crecían entre kioscos y fuentes decrépitas hasta formar una tupida pared verdinegra.

En el frontispicio del palacio descubrí una inscripción. Son esas cosas que ocurren por casualidad; si alguien me hubiera dicho que buscara la inscripción seguramente no la habría hallado nunca. Con letras cinceladas en la piedra, la casa decía: «Benvingut m'ha fet». El color azul de la fachada, a cubierto del sol, parecía corroborar el aserto: somos así porque Benvingut nos hizo así. Dejé el coche aparcado junto al porche y llamé a la puerta. Nadie contestó. Pensé que la casa estaba vacía; incluso yo, detenido en la puerta y aguardando, no proyectaba una presencia mayor que las malas hierbas que crecían por todas partes. Tras un momento de vacilación decidí ir a echar una mirada a la parte posterior. Un sendero de piedra corría bajo las ventanas cerradas de la primera planta y terminaba en una arcada que daba acceso a otro jardín, rodeado de murallas y escalas, en un nivel inferior que el jardín que acababa de dejar atrás, y dispuesto en forma de terraza, en cada una de las cuales avisté los restos mutilados de una estatua. Cada escala estaba adornada con pequeñas cornucopias talladas en la piedra, casi a ras del suelo. Una puerta de madera, enrejada, se abría al fondo sobre un patio que daba directamente al mar. Una porción de la casa estaba levantada sobre las rocas, o mejor dicho se sumergía en el promontorio rocoso en un abrazo de intención oscura, y al lado, junto a las escaleras que bajaban caracoleando hasta la playa, estaba el galpón. Éste era una enorme construcción de madera, con salientes de vigas, híbrido de granero e iglesia protestante carcomida por el tiempo y el descuido, pero aún fuerte. La puerta, dos grandes planchas de chapa metálica, estaba abierta. Entré. En el interior, alguien, una voluntad infantil y terrible, había construido, valiéndose de innumerables cajas, una serie de torpes pasillos, de un metro y medio de altura, que, a medida que uno se internaba, iban decreciendo hasta quedar de unos cincuenta centímetros. Los pasillos corrían formando círculos. En el centro estaba la pista de hielo. En medio de la pista vi un bulto oscuro, ovillado, negro como algunas de las vigas que cruzaban relampagueantes el cielo raso. La sangre, desde diversos puntos del cuerpo tumbado, había corrido en todas las direcciones, formando dibujos y figuras geométricas que a primera vista tomé por sombras. En algunos sectores el reguero casi alcanzaba el borde de la pista. Arrodillado, tal vez porque sentí mareos y ganas de vomitar, contemplé cómo el hielo endurecido empezaba a absorber la totalidad de la carnicería. En un ángulo de la pista descubrí el cuchillo. No me acerqué a mirarlo con mayor detenimiento, ni mucho menos lo toqué; desde donde estaba podía ver claramente que era un cuchillo de cocina, de hoja ancha y mango de plástico. En la hoja, aun a distancia, se notaban las manchas de sangre. Poco después, con sumo cuidado, intentando no resbalar sobre el hielo y al mismo tiempo no pisar los cuajarones, me aproximé hasta el cadáver. Desde el primer momento supe que estaba muerta, pero vista de cerca me pareció sólo dormida, con un leve gesto de disgusto en las comisuras del único ojo que, sin cambiarla de posición, me era posible ver. Supuse que aquélla era la vieja que fue a hablar con Lola, y durante largo rato permanecí mirándola como hipnotizado, y esperando, irracionalmente, que Nuria apareciera en el escenario del crimen. La pista de hielo me pareció entonces un lugar magnético, aunque, por lo visto, todos sus posibles habitantes y visitas hacía mucho que se habían esfumado y yo era el último en entrar en escena. Cuando me levanté tenía las piernas heladas. Afuera las nubes habían cubierto definitivamente el cielo y desde el mar comenzaba a soplar un viento amenazador. Sé que hubiera debido rehacer el camino, volver a Z y avisar a la policía, pero no lo hice. Por el contrario, respiré hondo varias veces e hice un poco de ejercicio, porque las piernas además de heladas empezaban a acalambrarse, y una vez más, como si allí hubiera algo que me atrajera de forma irresistible, volví a entrar en el galpón y vagué por los pasillos circulares, observando distraído las cajas, contando los reflectores que apuntaban hacia la pista, intentando imaginar qué había ocurrido al amparo de aquella atmósfera gélida. Sin tocar nada, sobre todo sin tocar nada con las manos, me encaramé sobre unas cajas y miré a mi alrededor. El panorama que se me ofreció era como el de un laberinto visto desde arriba, con un centro de cristal donde destacaba un hoyo negro: el cadáver. Pude ver, asimismo, que en una de las paredes, oculta a medias por las cajas, había otra puerta. Sin perder un minuto me dirigí hacia allí. De esta manera, tras subir un tramo de escaleras y penetrar en una galería abierta al jardín de terrazas, me encontré dando vueltas por los interminables corredores del Palacio Benvingut. Pronto perdí la cuenta de las salas y salones que se sucedían a mi paso. La mayor parte de las habitaciones estaban, como era de esperar, cubiertas de polvo y telarañas, con las paredes descascaradas, en estado de ruina total. En algunas el viento había descerrajado las ventanas y en el suelo y las paredes eran visibles las señales dejadas por las lluvias de los últimos treinta años. En otras, las ventanas estaban firmemente claveteadas a los marcos y el olor a podredumbre era insoportable. Sorprendentemente, en el primer piso encontré dos habitaciones recién pintadas y con algunos útiles de carpintería amontonados afuera, en el pasillo. A ciencia cierta todavía ignoro qué impulso me llevó a registrar toda la casa. En una especie de sala de lectura con forma de herradura, en el último piso, bajo una ventana que daba al mar, envuelto en mantas escocesas hechas jirones y con una chica aparentemente dormida a su lado, encontré a Gasparín. Días después me confesó que al oír mis pasos pensó que era la policía y que no tenía escapatoria. En la parte posterior de la pared, encima de la única y magnífica ventana, estaba escrita la siguiente leyenda: «¡Coraje, canejo!». Las letras, que el tiempo había desvaído, eran todas mayúsculas y presentaban un diseño tan delirante como el resto de la casa, por lo que no me cupo duda de quién fue su autor. Benvingut, el Indiano. Lo cual, por otra parte, no dejaba de ser extraño, pues por lo que sabía, Benvingut vivió, viajó y amasó su fortuna en Cuba, México y los Estados Unidos, y aquella expresión era argentina o uruguaya. En fin, más extraño aún era que alguien la hiciera pintar presidiendo su sala de lectura, donde era más adecuada una sentencia en latín o en griego, y además de manera que nada más abrir la puerta fuera visible con toda rotundidad. Eso si es que aquella habitación cumplió alguna vez tal propósito, cosa que empiezo a dudar. Sea como fuere, no me sorprendió que Gasparín hubiera escogido precisamente aquel sitio para aguardar lo que él creía inminente. No nos dijimos nada, permanecimos quietos, mirándonos, yo en el quicio de la puerta y él en el suelo, bajo la inscripción, cubriendo con un brazo a la durmiente. El sueño de la chica parecía tan plácido y feliz que me dio pena hablar y despertarla. ¿Qué es lo que más recuerdo de ese instante? Los ojos de Gasparín y las mejillas manchadas de sangre de la muchacha. Cuando me decidí a hablar pregunté si sabía lo que había abajo, en la pista. Asintió con la cabeza. Por un segundo lo imaginé acuchillando a la vieja pero al segundo siguiente mi corazón se dio cuenta de que aquello era imposible. Luego dije que se levantara y se fuera. No puedo dejarla, dijo. Lárgate con ella. ¿Adónde?, preguntó Gasparín con algo de sorna. Dije que al camping, que me esperara allí. Gasparín asintió otra vez. La chica parecía sonámbula. Procura ser lo más discreto posible, les dije cuando abandonaron el palacio. Luego volví a la pista de hielo y con el pañuelo borré las huellas del cuchillo; después cogí el coche y me marché rumbo a Z. En el maletero llevaba las viejas mantas escocesas que habían usado Gasparín y la muchacha. Antes de llegar al pueblo los vi: caminaban por la carretera, abrazados y con algo de prisa, como si temieran la lluvia que se avecinaba. Nunca había visto a Gasparín abrazado a una chica, aunque lo conocía desde que él tenía diecinueve años y yo veinte. La carretera parecía muy grande, el mar parecía mucho más grande, y ellos parecían dos enanos ciegos y obstinados. Creo que no reconocieron el coche; es más, creo que no le prestaron la más mínima atención. Con lentitud, el tráfico no daba para más, me dirigí hacia el hospital. Lola no estaba allí. La encontré en su oficina, donde conté todo, excepto mi encuentro con Gasparín y la durmiente. Durante un rato hablamos de lo que se debía hacer. Lola parecía apesadumbrada. Nunca debí pedirte ese favor, dijo. ¿Crees que la mató la muchacha del cuchillo? Creo que no existe ninguna muchacha del cuchillo, dije. Luego llamamos a la policía...

GASPAR HEREDIA:

Hasta que el Carajillo se durmió estuvimos hablando de mujeres

Hasta que el Carajillo se durmió estuvimos hablando de mujeres, comidas, trabajos, hijos, enfermedades, muertes... Cuando lo escuché roncar apagué la luz de la recepción y salí afuera a seguir pensando. Al amanecer volví a entrar en la recepción, le dije al Carajillo que no había novedades en el camping y que debía marcharme de inmediato. El Carajillo, medio dormido aún, murmuró palabras ininteligibles. Algo acerca de una lágrima gigantesca. Lágrima titánica. Pensé que soñaba con la letra de una canción. Luego abrió un ojo y preguntó adónde iba. Salgo a dar una vuelta, dije. Me deseó suerte y volvió a quedarse dormido. A buen paso supuse que tardaría tres cuartos de hora en llegar al Palacio Benvingut. Tenía tiempo de sobra así que antes de salir del pueblo me detuve en un bar repleto de pescadores y desayuné. No presté mucha atención a lo que decían, pero creí entender que aquella noche desde algunos botes vieron una ballena y un pescador se perdió. En el fondo del bar, rodeado de hombres vestidos con trajes de faena, un muchacho de unos catorce años movía las manos aparatosamente y a veces se reía y otras veces gruñía y repetía palabras que otros habían dicho aquella noche. «La Desgracia», «La Ballena», «El Guapo», «La Ola», resonaban como si estuvieran jugando a la lotería. Pagué la cuenta y me marché sin que nadie se fijara en mí. Durante el trayecto hasta el caserón no pasó ni un solo coche por la carretera, ni de Z a Y, ni de Y a Z; tampoco vi a nadie caminando en una u otra dirección. Desde lo alto de las calas el pueblo parecía dormido y seguramente sólo los pescadores estaban despiertos. Cerca de la playa todavía faenaban algunos botes. Cuando por fin llegué al palacio la costumbre me llevó directamente a la pista de hielo. Las luces estaban encendidas y erróneamente pensé que la patinadora y el gordo tal vez estuvieran allí. Pero no, dentro de la pista sólo vi a la pobre Carmen y en el borde, en el lugar habitual del gordo, observando el cadáver, estaba Caridad. Tenía los ojos borrosos de las noches del camping y la cara llena de sangre que aún manaba de su nariz. No se percató de mi presencia hasta que la cogí de los hombros. No sé por qué pensé que si ella pisaba el hielo, cosa que parecía a punto de hacer, la perdería para siempre. En la camiseta y en las manos de Caridad también había sangre. Ambos estábamos temblando. Mis brazos, que sujetaban sus hombros, se movían como cables y los dientes me castañeteaban produciendo un sonido acorde con el escenario. Caridad también temblaba, pero su temblor provenía de dentro y permanecía dentro, en un circuito secreto sólo perceptible si uno la tocaba, tal como yo hacía en ese momento. Incluso pensé que mi temblor lo producía su temblor y que si la soltaba aquél cesaría, pero no lo hice. Caridad me miró únicamente cuando sintió mis manos sobre sus hombros, sin reconocerme, y como si creyera que yo había matado a la cantante. ¿Qué ha pasado?, dije. No respondió. El cuchillo, el hielo, la mañana, el cuerpo de la cantante, el caserón, los ojos de Caridad, todo comenzó a dar vueltas... Mis manos apretaban sus hombros como si temiera que fuera a desaparecer. Recordé lo buena y generosa que fue la cantante con Caridad y lo buena y generosa que fue Caridad con la cantante. Ambas, forasteras en Z, se ayudaron a lo largo de aquel verano de la mejor manera que sabían. Durante unos instantes no pude separar mi mirada del cuerpo que yacía sobre el hielo, luego dije que nos marcháramos, aunque sospechaba que no teníamos ningún sitio adonde ir. Con suavidad la empujé hacia el interior del palacio. Caridad se dejó llevar con una docilidad que no esperaba. Vamos a buscar tus cosas, dije. De repente nos encontramos dando vueltas por pasillos y escaleras, pero cada vez más deprisa, como si el requisito indispensable para abandonar definitivamente el lugar del crimen fuera registrar la casa de arriba abajo. En algún momento, sin llegar a detenernos, recuerdo haberle dicho al oído que yo era el vigilante nocturno del camping y que debía confiar en mí, pero ella no pareció escucharme. En el segundo piso estaba la habitación que Caridad y Carmen habían usado para dormir. No era más grande que una despensa y para acceder a ella había que atravesar otras dos habitaciones, lo que la hacía bastante discreta y difícil de encontrar. Cámbiate de camiseta, dije. Caridad sacó de su mochila una camiseta negra y tiró la ensangrentada en el suelo. Me agaché y recogí todas sus cosas, incluida la camiseta ensangrentada, y las metí en la mochila. El resto eran cosas de la cantante, botellas vacías, velas, bolsas de plástico con ropa, cómics, platos, vasos. No hay prisa, dijo Caridad. La miré en la semipenumbra: desde aquella habitación las dos mujeres escucharon una noche los acordes de la *Danza del Fuego* y sin duda debieron pasar un mal rato. Las imaginé bajando las escaleras al encuentro de la música, más solas que nunca, una con el cuchillo, la otra con un palo o una botella, hechizadas por el resplandor de la pista de hielo. O tal vez no, en todo caso ya no tenía ninguna importancia. Cuando salimos era Caridad la que me guiaba. En vez de bajar subimos a una habitación del tercer piso. Quédate conmigo hasta que lleguen, dijo Caridad, mirándome a la cara. Supuse que se refería a la policía. Nos hundiremos juntos, pensé. Los dos estábamos helados, así que nos cubrimos con las mantas y nos tiramos sobre el suelo de madera. Por la ventana se colaban débiles rayos de luz. Era como estar acampados. Probablemente el calor hizo que sin darme cuenta me quedara dormido. Los pasos en el piso de abajo me despertaron. Alguien abría y cerraba habitaciones. Sé que es lógico y tonto, pero no pensé en la policía sino en Carmen, que se había levantado de su charco de sangre y nos buscaba. No por venganza ni para darnos un susto, sino para ponerse cómoda junto a nosotros, también ella envuelta en una de las mantas. Por cierto, no tenía la más mínima idea de qué hora podía ser. Cuando la puerta se abrió y apareció Remo Morán tampoco quedé muy sorprendido. Recordé la noche en que lo vi salir de la discoteca con una chica rubia. La chica era la patinadora, por lo que no me pareció extraño que la buscara. Tú eres mi padre, pensé, ayúdame. Creo que Remo tenía miedo de que Caridad también estuviera muerta...

ENRIC ROSQUELLES:
Por la tarde Pilar telefoneó a mi oficina para informarme

Por la tarde Pilar telefoneó a mi oficina para informarme, con un tono seco y oficial, de que habían encontrado un cadáver en el Palacio Benvingut. El teléfono se me cayó de las manos y cuando lo recogí ya no había nadie al otro lado. Al marcar el número de Nuria me di cuenta de que estaba temblando, pero mi voluntad se impuso y cuando Laia descolgó el teléfono pude preguntar por Nuria con una voz por lo menos pasable. Nuria no estaba. En circunstancias normales jamás me habría atrevido a preguntar si había dormido en casa, pero las circunstancias no eran normales, así que lo hice. En el otro lado Laia emitió una breve risita de burla antes de contestar. Sí, qué creía, por supuesto, había dormido en casa. Respiré aliviado y le encargué que le dijera a Nuria que se pusiera en contacto conmigo lo antes posible. Si en la próxima media hora no recibía una llamada suya, iría a buscarla directamente a su casa. Estás celoso, dijo Laia. No, dije, no estoy celoso. Laia empezó a preguntar si pasaba algo, pobre pajarito, cuando sentí que no podía más y colgué el teléfono. Necesitaba desesperadamente reflexionar, así que respiré hondo y procuré darme otra dosis de serenidad. Ya casi lo había conseguido cuando llamaron a la puerta y apareció el viejo García, el jefe de la Policía Municipal de Z. Traía un fajo de papeles en la mano y con el gesto campechano de siempre, aunque esta vez un poco forzado, preguntó si podía sentarse un rato. Le dije que no se quedara en la puerta, que pasara y tomara asiento como si estuviera en su casa. Creo que grité un poco. Con un encogimiento de hombros García avanzó hacia la silla que le ofrecí y por un instante ambos permanecimos en silencio, él sentado con las rodillas muy separadas y yo mirando la calle desde una ventana. Hable, hombre, hable, dije sin más preámbulos. García me recomendó que bajara la voz. Lo puede oír la secre, dijo tan bajito que tuve que pedirle que lo repitiera. Descorazonado, pero un poco más sereno, tomé asiento y opté por la táctica de mirarlo a los ojos sin pestañear. Tal como me lo figuraba, García desvió la mirada casi de inmediato y se dedicó a observar los diplomas colgados de la pared. Tiene muchos títulos, constató en un susurro. Moví la cabeza sin dejar de mirarlo, sí, aquéllos eran mis trofeos, los certificados de mi inteligencia y dedicación, la fotocopia de mi diploma de psicología (el original lo tiene enmarcado mi madre), el diploma del cursillo de educación especial, el de educador de calle, el de educación en las prisiones, el de asistencia primaria y centros abiertos, el de delincuencia juvenil y drogadicción, el de animador sociocultural, el de psicología urbana, el de psicología y criminalidad (impartido en París durante dos días), el de educador social (un fin de semana en Colonia con conferenciantes vagamente nazis), el de reanimación psicosocial, el de psicología y medio ambiente, el de problemas de la vejez, el de centros de rehabilitación y granjas, el de *Hacia una Europa Socialista*, el de política y economía española, el de política y deporte en España, el de política y Tercer Mundo, el de problemas y soluciones en los pequeños ayuntamientos, etcétera, etcétera. No sabía que estudiara tanto, dijo García en un suspiro. Evité contestarle; mi mente, como vulgarmente se dice, estaba muy lejos de aquella oficina, perdida en un espacio de ensueños. Sin darme cuenta me puse a tararear la *Danza del Fuego*. Ya sabe por qué estoy aquí, dijo García carraspeando. No me gustó que me interrumpiera, a nadie le gusta que lo hagan, no sé, me pareció una falta de educación absoluta, pero qué otra cosa podía esperar de un policía. Al grano, hombre, al grano, dije, alzando la voz nuevamente. García se sonrojó tanto que creí que iba a sufrir un ataque al corazón o al cerebro o ambas cosas a la vez. Está usted detenido, dijo mirando el suelo. Bueno, ya está, no era tan difícil decirlo, dije con una sonrisa que sólo Dios sabe cuánto esfuerzo me costó mantener entre los labios. Luego, ya sin sonreír, pregunté qué se suponía que había hecho. Matar a una mujer, dijo García, y estafar al Ayuntamiento. Pregunté, con auténtica curiosidad, a qué mujer se suponía que había matado, aunque en mi interior comenzaba a sospechar quién era la muerta. A una mendiga, dijo García, buscando en sus papeles, Carmen González Medrano. Pregunté si había llegado a tal deducción él solo o si por el contrario el trabajo había sido en equipo. García se encogió de hombros e hizo como que no me entendía. Lo tienes mal si crees que vas a apuntarte un tanto a mi costa, le advertí. García respondió que en realidad él no se apuntaba nada y que sentía mucho verse en el trance de arrestarme, pero que lo comprendiera, cada uno tenía sus obligaciones. No le creí ni una palabra, en el brillo de los ojos se le notaba la felicidad: por primera vez el cabroncete se iba a adelantar a los nacionales y a la Guardia Civil. Lo tienes mal si crees que vas a salir en los periódicos, García, bramé, todos os vais a llevar una buena sorpresa. García balbuceaba una respuesta cuando sonó el teléfono y me abalancé a cogerlo como si en ello me fuera la vida. Al otro lado del hilo la voz de Nuria semejaba un pájaro tembloroso de frío. Nunca, lo juro, la había sentido más cerca. Nuria, dije, Nuria, Nuria, Nuria. Con una discreción que lo honra, García se levantó y se puso de espaldas a mí a mirar los diplomas. Sin querer, sin darme cuenta de lo que hacía, comencé a llorar. Nuria, no sé cómo, se dio cuenta y preguntó, no muy segura y sí muy preocupada, si estaba llorando, extremo que me apresuré a desmentir de palabra y de hecho. García, desde un rincón, me observaba de reojo. Afuera de la oficina oí gritos, era mi secretaria, y algunas voces que pedían y exigían, pero que no logré distinguir. Un buen barullo, en todo caso. En aquel momento no me hubiera importado caer fulminado por un rayo. La respiración de Nuria y mi respiración, unidas en la línea telefónica, eran como un matrimonio atemporal, al mismo tiempo el enlace y la consumación y el transcurrir de los días tranquilos y el conocimiento. Los dientes me rechinaron de una forma horrible. ¿Qué sucede?, dijo Nuria. Noté que García estaba otra vez junto a mí y hacía morisquetas ininteligibles. Los ruidos que provenían de la antesala iban en aumento: sillas caídas, cuerpos que chocaban contra las paredes, gritos que pedían silencio y calma, por favor, no entorpecer el curso de la justicia. Entonces silabeé: Nu-ria-de-bo-col-gar-pa-se-lo-que-pa-se-re-cuer-da-que-te-quie-ro-re-cuer-da-que-te-quie-ro...

REMO MORÁN:

Los policías eran jóvenes y tenían rostros no muy despiertos

Los policías eran jóvenes y tenían rostros no muy despiertos, aunque durante el trayecto uno de ellos dijo ser licenciado en Economía. El otro era mecánico aficionado, un loco del motociclismo; cada vez que podía se escapaba para participar en las carreras de motos que se hacían en Cataluña y Valencia. Los dos estaban casados y tenían hijos. Cuando llegaron a la oficina de Lola no se mostraron tan parlanchines, aunque después de escuchar mi historia y escribir cuatro garabatos en una libretita no precisamente limpia, se miraron como si pensaran que aquél podía ser su día. Decidieron partir de inmediato en dirección al Palacio Benvingut. Para tal efecto solicitaron, un poco nerviosos, mi compañía. Lola no quiso que fuera solo (vaya uno a saber qué se le pasó por la mente) e impuso su presencia en el grupo; ella era, al fin y al cabo, la única capaz de identificar el cadáver. Después de que Lola buscara la ficha de la víctima en un archivo rebosante de papeles, los cuatro partimos hacia el lugar del crimen en el coche patrulla, cosa que luego lamentaría, pues iba a tener que volver a la oficina para recoger mi propio coche y no andaba sobrado de tiempo ni de ganas. En el Palacio Benvingut nada había cambiado, aunque tal vez se hubiera acentuado la estampa de desolación, de otoño prematuro que envolvía la casa y los alrededores. El cadáver seguía allí, pero el reguero de sangre no parecía tan siniestro, ni la sangre tan roja. Lola se internó unos pocos pasos dentro de la pista y la reconoció sin dificultad: Carmen González Medrano, transeúnte. Más tarde aparecieron el jefe de policía, que felicitó públicamente a sus hombres, una especie de forense seguido de tres muchachos de la Cruz Roja, y una chica de unos treinta años que dijo ser la juez comarcal. Ésta y Lola se conocían y tuvieron un pequeño altercado acerca de la ficha de la mendiga. La juez quería quedarse con la ficha, a lo que Lola se negó en redondo. Al verlas discutir, las dos jóvenes y enérgicas, pensé que ésa era la España que avanzaba a grandes zancadas hacia el futuro. Al lado de ellas, no sé si nostálgicos o dóciles o pacientes, la vieja y yo éramos como dos flechas, una rápida y otra lentísima, disparadas hacia el pasado. Finalmente, por mediación del forense, llegaron a un acuerdo: Lola se quedaría con la ficha y enviaría una fotocopia a la juez. Por mi parte, tuve que repetir la historia un par de veces y cuando ya pudimos irnos no hubo quien nos llevara. Volvimos a Z caminando. Lola estaba un poco pálida aunque muy bonita. Al principio me repitió lo poco que sabía de la muerta, pero terminamos hablando de su reciente viaje a Grecia y de cómo se había portado el niño. Por la tarde, después de varios intentos frustrados de comunicarme con Nuria, decidí acudir a su casa otra vez e informarme sobre su paradero. Abrió la puerta su madre y no me invitó a pasar. Tenía los ojos enrojecidos, no estaba para charlas. Nuria se había marchado a Barcelona. No sabía cuándo iba a regresar. En el hotel Álex me esperaba con una noticia bomba: la policía había detenido a Enric Rosquelles como presunto autor del crimen. Tuve que volver a contar la historia que ya había repetido cientos de veces aquella mañana y poco después subí a la habitación, a pensar. Pero lo que hice fue quedarme dormido, sentado en un sofá, y soñar que un grupo de mujeres-pájaro se congregaba afuera, junto al balcón, observándome a través de los cristales mientras sus alas batían silenciosamente el aire caliente y húmedo. Poco a poco las iba reconociendo, allí estaban Lola y Nuria y otras mujeres de Z, aunque los rostros eran borrosos y tal vez me equivocara. En medio, como si fuera la reina del cortejo, aleteaba la mendiga. Sus ojos eran los únicos que me miraban de verdad. Un golpe de viento abrió las ventanas y sentí su voz, justo cuando el grupo de mujeres-pájaro se elevaba a contrapelo de las nubes que cubrían el pueblo. Aun así, la voz de la muerta hacía temblar los cristales de mi balcón. Estaba cantando. La letra de su canto consistía en una única palabra repetida: véngame, véngame, véngame. Querido colega, véngame, véngame, véngame. A punto de despertar me escuché prometerle que eso haría, pero que primero debía encontrar a su asesino. Por la noche, después de ducharme, salí a dar una vuelta rumbo al Stella Maris. Fuera de la recepción, Gasparín, el Carajillo y un cliente en camiseta estaban sentados tomando el fresco. Me quedé un rato con ellos. Luego dije a Gasparín y al Carajillo que me siguieran. Cuando estuvimos solos en los pasajes interiores del camping le pregunté a Gasparín dónde estaba la chica. Dijo que durmiendo, en su tienda de campaña. ¿Sabes dónde la encontramos?, pregunté al Carajillo. Me lo imagino, dijo. Pues olvídalo, dije, o aguántalo hasta que las cosas estén más claras. Por mí no hay ningún inconveniente, dijo el Carajillo, el problema puede surgir cuando la policía la coja. No la van a coger, dije, y si la cogen no nos va a complicar a nosotros en el asunto. La chica es de fiar, ¿no? Gasparín no contestó. Repetí la pregunta. Depende, dijo Gasparín, para algunos es de fiar y para otros no. ¿Para mí, por ejemplo, es de fiar? Sí, dijo Gasparín, creo que sí. También para el Carajillo. ¿Y para ti es de fiar? No lo sé, dijo Gasparín, más bien lo que estoy averiguando es si yo soy de fiar para ella. Acordamos que lo mejor era que él y la chica se mantuvieran alejados de todo el asunto. La policía puede llegar a ti por ella, dije, aunque tal como van las cosas no lo creo. Gasparín estaba ilegal en España y su novia sólo Dios sabía quién era. Cuando volvimos a la recepción el tipo de la camiseta aún estaba allí y se puso a preguntarme detalles sobre los sucesos del Palacio Benvingut. Por él supe que la noticia había salido en TV3 y que el escándalo iba a traer cola...

GASPAR HEREDIA:

Caridad se adaptó bastante bien a la vida del camping

Caridad se adaptó bastante bien a la vida del camping, aunque al principio no era fácil notarlo pues casi no hablaba y yo casi no le hacía preguntas. Más que compartir una tienda nos la turnábamos: a la hora en que me iba a dormir ella se despertaba y a la hora en que yo me despertaba ella recién empezaba a tener algo de sueño. Sólo hacíamos una comida juntos, la de la mañana, que para mí era la cena y para ella el desayuno, y que consistía en queso, yogur, frutas, jamón dulce, pan integral, en fin, una dieta pensada para devolverle los colores y que Caridad tomaba a regañadientes. A veces nos encontrábamos en el bar del camping, por pura casualidad, y solíamos beber una cerveza juntos. Hablábamos poco. Pese a ello no tardé en descubrir que su voz era la voz más inquietante que jamás había escuchado. Entrar a gatas en la canadiense y encontrar su olor entre el revoltijo de ropas me producía un placer intenso. Más agradable aún era despertar y encontrarla a unos pasos de la tienda, sentada en el suelo, leyendo un libro alumbrada por una lámpara de camping gas. Su mala salud, de la que me había hablado la cantante, sólo se manifestaba en frecuentes hemorragias nasales, que Caridad achacaba al sol sin darle mayor importancia. Lo peor era que a veces no se daba cuenta hasta que la sangre comenzaba a gotearle por el mentón, y su rostro, pintado de tal manera, asustaba a quien no estuviera avisado. Cuando esto ocurría, una vez cada 48 horas, se ponía un pañuelo mojado sobre el tabique nasal y se tumbaba de espaldas en la tierra, junto a la tienda, a esperar que pasara. Eran ocasiones que aprovechaba para hablar con ella. Con mucho tacto. Empezaba por el tiempo y acababa con su salud. Por descontado, cada vez que insinué que fuéramos a ver a un médico obtuve rotundas negativas por respuesta. Caridad, lo comprendí más tarde, odiaba los hospitales tanto como las escuelas, los cuarteles de policía y los asilos de ancianos. Nunca la vi sangrar de la boca, ni escupir sangre, por lo que supuse que a este respecto Carmen se había equivocado o había exagerado los males de su amiga animada por el interés que veía en mí. Si tenía padres, hermanos, una familia, es algo que nunca supe. Su pasado era algo guardado en el más estricto silencio, lo que de por sí resultaba curioso en una persona que todavía no cumplía los veinte años. Un día el chico de la moto y ella se encontraron en el bar del camping. Los vi de lejos y preferí no acercarme pero tampoco alejarme demasiado. Conversaron —el chico habló y Caridad de tanto en tanto movió los labios— durante unos diez minutos. Parecían dos baterías recargadas. Luego se separaron, como naves espaciales con singladuras divergentes, y el vacío que quedó temblando en la barra amenazó con tragarse al resto de los parroquianos. Otro día, mientras bebíamos una cerveza, el chico apareció junto a nosotros y se puso a hablar. Lo hacía en castellano pero usando términos que sólo él y Caridad, al parecer, entendían. Antes de marcharse me dedicó una sonrisa que podía significar cualquier cosa. La próxima vez apareció por la recepción, montado en su moto, y dijo que quería hablar conmigo. En realidad sólo deseaba mostrar su agradecimiento por lo que había hecho por Caridad. Está más loca que una cabra, dijo, pero es buena persona. Era de noche y la moto hacía un ruido considerable.

Le dije que apagara el motor y la empujara hasta su tienda, y eso hizo. Durante muchos días Caridad y yo no salimos del camping más que para comprar provisiones. No es que lo planeáramos así sino que simplemente, cada uno por motivos diferentes, no teníamos ganas de salir. En lo que a mí concierne esta situación hubiera podido durar siempre, pero el chico de la moto comenzó a venir todas las tardes, ya sin tapujos, directamente a nuestra tienda. Medio dormido lo escuchaba llegar y al poco rato se ponía a hablar con Caridad, que a esas horas, si no estaba en el bar, se quedaba sentada afuera, con un libro entre las manos y sin hacer nada, pensando. Una tarde el muchacho llegó con su moto y tras unos minutos de charla a media voz ambos se marcharon. Pensé que no la volvería a ver. Cuando regresaron, a las tres o cuatro de la mañana, yo estaba sentado junto a la barrera metálica, en la entrada del camping, y Caridad me saludó con un gesto de cabeza. Dos días después el chico se marchó del camping y Caridad siguió conmigo. Por aquellas fechas, según el Carajillo, el pueblo andaba revolucionado y nervioso; la estafa del Palacio Benvingut estaba teniendo una resonancia mayor que el crimen del Palacio Benvingut, pero yo no sabía nada; no compraba periódicos, no escuchaba la radio y sólo ocasionalmente veía la televisión en la recepción del camping. Remo vino a verme un par de veces. Intentamos, con la mejor voluntad, hablar de lo que fuera, pero nada nos salió bien. El espectáculo fue lamentable. Ni siquiera nos mirábamos a los ojos. Sólo cuando se puso a recordar machaconamente a México (yo me limité a escuchar) la cosa fue un poco más fluida. Fluida, pero triste. Menos mal que no llegamos al extremo de leernos poemas recientes. Tal vez se debiera, por lo demás, a que no existían poemas recientes. Una noche vi al gordo en la tele: escoltado por dos policías salía de un coche y se perdía tras la puerta de un juzgado. No intentó taparse el rostro con la americana o con las manos esposadas; por el contrario, miraba a la cámara con curiosidad y distancia, como si el negocio no fuera con él y los asesinos y estafadores estuvieran en el otro lado, lejos del alcance del objetivo. Una tarde, mientras dormía, Caridad entró en la tienda, se desnudó e hicimos el amor, más o menos de la misma manera, como si el asunto no fuera con nosotros y los amantes de verdad estuvieran muertos y enterrados. Pero era la primera vez y fue bonito y a partir de entonces empezamos a hablar un poco más, no mucho, pero un poco más sí...

ENRIC ROSQUELLES:
Juro que yo no la maté

Juro que yo no la maté, cómo iba a matarla si apenas la había visto un par de veces. Es cierto que la vieja vino a mi oficina y que le di dinero, sí, incluso podemos decir que me estaba haciendo chantaje, pero eso no es motivo para matar a nadie. Yo soy catalán y esto es Cataluña y no Chicago o Colombia. ¡Además, a cuchilladas! Nunca en mi vida he usado un cuchillo contra nadie, ni en sueños, y suponiendo, vamos a ver, que lo hubiera hecho, ¿quién es capaz de imaginarme asestándole veinte puñaladas? Perdón, para ser exactos, treinta y cuatro puñaladas. ¡Absolutamente nadie! ¡Y menos en medio de mi pista! Si lo hubiera hecho acto seguido tendría que haberme suicidado, porque un cadáver en el Palacio Benvingut inexorablemente iba a señalarme a mí como el principal sospechoso. ¿Y qué ganaba matando a la vieja? Nada, sólo problemas y más problemas, hasta reventar. Desde el día en que esa desdichada murió mi vida ha sido una pesadilla. Todo el mundo me ha vuelto la espalda. Fui despedido de mi trabajo y expulsado del partido. Nadie esperó mi versión de los hechos. Pilar, a la que tanto ayudé, dice ahora que desde hacía tiempo sospechaba de mí. Mentira podrida. El secretario del partido en Gerona dice que mi actitud siempre le pareció equívoca. Otra mentira. ¡Mentiras torpes, además! Porque si mi conducta era obvia y ellos lo sabían, ¿por qué no hicieron algo antes de que se consumara la estafa y el asesinato? Yo os lo diré: no hicieron nada porque nada sabían, nada intuían, nada les inquietaba. Lo mejor que podrían hacer ahora es cerrar la boca y apechugar cada uno con su parte. Sí, usé dinero público para construir la pista de hielo del Palacio Benvingut, pero aquí tengo papeles que demuestran la rentabilidad que podría sacarse de la pista, con una buena gestión, en un plazo de siete años, para no hablar de los servicios que prestaría a los deportistas de la comarca, e incluso de la provincia, huérfanos de cualquier instalación adecuada para la práctica de este deporte de invierno. La pista, esto lo digo para quienes piensen que estoy improvisando excusas y coartadas, tiene las medidas reglamentarias: 56x26 metros, que es el mínimo oficial (el máximo es 60x30). Si a la pista le añadimos un vestidor (honesto y digno, como aconsejan las normas) y una gradería sencilla pero cómoda, el pueblo de Z se hallaría, de la noche a la mañana, en posesión de una joya que sería la envidia de todos los pueblos vecinos, perfectamente homologable a cualquier pista europea de alta competición. ¿Que nadie me autorizó a gastar el dinero del erario público en una instalación deportiva? ¿Que lo hice a espaldas de todo el mundo, sobre todo a espaldas de convergentes y comunistas? ¿Que actué movido por afán personal, para conquistar los favores de una patinadora? ¿Que soy un loco y un megalómano y, probablemente, al ser descubierto, también un asesino? Lo digo con palabras compungidas y sinceras: nada es cierto, no soy un monstruo, soy una persona con iniciativa y tesón, actué de buena fe. Pongo un ejemplo: los planos para construir la pista no costaron un duro, los diseñé yo mismo tomando como punto de partida los planos del famoso ingeniero Harold Petersson, el padre de la primera pista de hielo de Roma, construida por orden expresa de Benito Mussolini en 1932. La parrilla es creación mía, inspirada en las parrillas archibaratas de John F. Mitchell y James Brandon, los arquitectos deportivos funcionalistas. No tuve necesidad de cavar: rellené la vieja piscina de Benvingut. Buena parte de la maquinaria me la vendió a precio de saldo un amigo de Barcelona, industrial en bancarrota ante la avalancha de firmas extranjeras. Conseguí los servicios del constructor más infame de Z, sólo tuve que apretar un poco (él luego apretó a sus peones) y ya lo tuve en mis manos. ¡El negocio salió redondo y nadie lo quiere reconocer! Pregunto: quién hubiera sido capaz de hacer algo parecido, en el más estricto secreto y gastando poco dinero. Ahora es fácil hablar de veinte, treinta o cuarenta millones desaparecidos, pero puedo asegurar que me apropié de una partida muy por debajo de esas sumas. En fin, ya sé que nadie se levantará y dirá: yo puedo hacerlo mejor. Tampoco es mi intención presentarme como un ejemplo a seguir. Sé que hice algo indebido. Sé que cometí un error. Probablemente Pilar perderá las elecciones por mi culpa. He traído el desprestigio a mis correligionarios. Sin querer he soltado una jauría de lobos sobre Nuria. He sido el hazmerreír de España al menos durante dos noches, y el hazmerreír de Cataluña durante toda una semana. Mi nombre ha sido escarnecido hasta en los más despreciables programas deportivos de la radio. Pero de eso a considerarme un asesino media un abismo. Juro que yo no la maté, la noche del crimen estuve en mi casa, durmiendo a saltos, envuelto en pesadillas y en sábanas mojadas de transpiración. Lamentablemente mi pobre madre tiene el sueño pesado y no puede atestiguarlo...

REMO MORÁN:

Los periódicos y las revistas la hicieron famosa

Los periódicos y las revistas la hicieron famosa en todo el país y su fama, dicen, traspasó las fronteras; su foto se reprodujo en los semanarios sensacionalistas de Europa; la llamaron la mujer misteriosa del Palacio Benvingut, la deportista del Infierno, la patinadora de mirada angelical, el objeto español del deseo, la belleza que conmocionó la Costa Brava. Poco después de hacerse público el escándalo fue expulsada de la Federación de Patinaje y todas las esperanzas de volver al mundo de la competición se desvanecieron. Una revista de Barcelona le ofreció dos millones de pesetas por posar desnuda. Otra, medio millón por la historia completa de los sucesos ocurridos en el Palacio Benvingut. Hubo quienes dijeron que Enric Rosquelles la estaba encubriendo y que la verdadera asesina era Nuria, pero esta acusación no prosperó: la noche del crimen, que los expertos calculan ocurrido alrededor de las tres de la mañana, ella se encontraba en su casa: su madre y hermana pudieron corroborarlo. A mayor abundamiento: aquella noche una amiga de X, por un cúmulo de azares que no vienen al caso, se alojó en su casa. Conversaron hasta pasada la hora que los expertos fijaron y compartieron el mismo dormitorio.

La amiga no dudó en declarar que Nuria no se movió de la cama durante toda la noche. Del infortunio, manifestado en formas diversas, lo que más sintió fue su exclusión del equipo de patinaje, al cual ni siquiera le fue permitido presentarse para la selección final. Abruptamente, justo en el mejor momento, se acabaron las becas o la esperanza de becas, las medallas o la esperanza de las medallas. Habló, puesto que se había convertido en noticia y nadie le negaba un micrófono, en todos los medios de comunicación que quiso, sobre todo en los programas deportivos nocturnos de marcado carácter sensacionalista, en contra de los directivos y entrenadores que, erigiéndose en jueces, arbitrariamente la habían apartado de lo que para ella era más que una profesión. Invocó la Constitución e intentó defenderse, pero no hubo manera. Una noche la escuché, con Álex y un camarero, en el bar ya sin clientes. La radio portátil parecía un fantasma de otro planeta, entre una caja de cervezas y el refrigerador. Hubiera sido menos doloroso no hacerlo: a lo largo de veinte minutos el locutor la condujo con pericia y saña mal disfrazada de benevolencia por los territorios de la violación pública. Una semana después Nuria regresó a Z. Estaba agotada y en sus ojos se notaban rastros de fiebre. No quería dejarse ver en restaurantes ni en sitios demasiado frecuentados, y tampoco quedarse en casa. Cuando la fui a buscar sugerí que enfiláramos el coche hacia el interior, por carreteras de segunda que atravesaban antiguas masías convertidas en merenderos. Durante el trayecto habló de Enric. Dijo que se había portado mal con él, que mientras el pobre se fundía en la cárcel ella luchaba (y para colmo hacía el ridículo) por recuperar su opción a una plaza en el equipo olímpico. Que se sentía terriblemente egoísta. Dijo que siempre había sabido que Enric la quería, pero nunca le dio demasiada importancia. Él jamás exteriorizó sus sentimientos, tal vez si le hubiera pedido ir a la cama las cosas ahora serían distintas. Me contó que en Barcelona había vivido en casa de una amiga y que al principio sufrió mucho: todas las noches lloraba hasta quedarse dormida, tenía pesadillas con la vieja asesinada, le dolía la cabeza y las manos le temblaban cuando recibía visitas. Un día, en las dependencias del INEF, encontró a su antiguo novio y éste se comportó como un imbécil. Se acostaron y a las doce de la noche ella se marchó con la convicción de que no volvería a verlo. Él ni se dio cuenta, estaba dormido. Sobre las entrevistas y juicios que pensaba llevar adelante no dijo una palabra ni yo le pregunté. Quería visitar a Enric en la cárcel y deseaba que alguien la acompañara. Dije que estaba dispuesto a ir con ella, pero pasaron los días y Nuria no volvió a tocar el tema. Aparecía por el hotel, a la hora de siempre, y de inmediato subíamos a mi habitación, en donde permanecíamos hasta que empezaba a oscurecer. En la cama, invariablemente, hablaba de la vieja y del Palacio Benvingut. Una tarde, mientras se venía, dijo que debería comprarlo. No tengo tanto dinero, dije. Es una pena, contestó, si tuvieras mucho dinero podríamos irnos de aquí para siempre. Para eso sí que tengo dinero, dije, pero ella ya no me escuchaba. El amor lo hacía en silencio, pero a medida que se acercaba el clímax se ponía a hablar. El problema no era que Nuria hablara durante el acto sexual, sino que siempre se refiriera a lo mismo: el asesinato y el patinaje. Como si se ahogara. Quizá lo peor no fue que ella hablara de lo mismo, sino que yo empecé a contagiarme y al cabo de no mucho, en los instantes previos al orgasmo, ambos nos desatábamos en una serie de confesiones y soliloquios macabros llenos de gemidos y de planicies heladas y de viejas multiplicadas en el hielo que sólo con nuestras venidas conseguíamos romper. ¿Qué sentí cuando vi a la vieja tirada sobre el charco de sangre? ¿Sabía que la hoja de un patín, de tres milímetros de anchura, podía ser considerada un arma blanca? ¿Qué impulsó a la vieja a meterse en la pista, huía de su asesino, pensó que su asesino no podría seguirla hasta allí, quién de los dos resbaló primero? Otras veces la obsesión era Enric; si Enric la odiaría, si Enric pensaría en ella, si Enric pensaría en el suicidio, si Enric estaba loco, si Enric había matado a la vieja. Una tarde me pidió que la sodomizara. Cuando lo estaba haciendo, dijo que a Enric seguramente ya le habrían dado por el culo en la cárcel. Por un instante pensé en el gordo y ya no tuve ganas. Otra tarde me contó que había soñado con la sangre de la vieja. La sangre en el hielo formaba una letra que nadie, ni yo ni los policías, había visto. ¿Qué letra? Una N mayúscula. Otra tarde, en lugar de desnudarme le dije que cogiéramos el coche y nos fuéramos a Gerona a visitar a Enric. Nuria se negó y luego se puso a llorar. Cómo pude ser tan tonta, dijo, para no darme cuenta de nada. ¿De qué tenías que darte cuenta, de que Enric había construido la pista a espaldas del Ayuntamiento? No, gritó Nuria, de que Enric me amaba como nadie lo ha hecho. Fue mi verdadero amor y yo no lo supe ver. Y así, variaciones sobre el mismo tema hasta quedar agotados. Aquello, lo supe bien pronto y creo que Nuria también lo sabía, no podía traernos nada bueno. De todas maneras, nunca como entonces estuvimos tan cerca el uno del otro, y nunca como entonces nos deseamos tanto...

GASPAR HEREDIA:

La policía estuvo dos veces en el camping

La policía estuvo dos veces en el camping, en visitas rutinarias, y en ambas ocasiones el peruano, la senegalesa, Caridad y yo nos camuflamos en las canchas de petanca. Para tales imprevistos el peruano guardaba en una caseta de perro, junto a las canchas, varios juegos de bolas y cuando la situación lo requería pasaba montado en bicicleta por los lavabos y por mi tienda invitándonos a gritos a echar una partida. Con el tiempo llegamos a aficionarnos a la petanca y por las tardes, cuando oscurecía, solíamos enzarzarnos en juegos cada vez más largos y disputados. El peruano, la recepcionista y la senegalesa formaron el equipo del turno de día, y el Carajillo, Caridad y yo el otro. Teníamos nuestros ajustadores o ponedores o marcadores, nunca quedó clara cuál era la terminología correcta, y nuestros golpeadores o sacadores o limpiadores. Generalmente jugábamos con luz eléctrica, justo cuando empezaba a oscurecer, y no siempre en las canchas de petanca, a veces en el camino de entrada al camping, al lado del bar, o junto a los lavabos si la senegalesa aún no había terminado la faena. Caridad no tardó en descollar como sacadora, al igual que la senegalesa, mientras el Carajillo y el peruano eran marcadores natos, y la recepcionista y yo simples jugadores de bulto. Alguna tarde se nos unió Álex Bobadilla, reemplazando a la recepcionista con más entusiasmo que efectividad. Finalmente decidimos hacer una selección de nuestros equipos y participar en el campeonato de petanca que cada año se hacía en el camping como colofón a la temporada. Los seleccionados fueron el Carajillo, el peruano y la senegalesa. Los demás, y aquí se incluían las otras dos mujeres de la limpieza demasiado atareadas con sus pluriempleos como para jugar, nos contentamos con dar ánimos, criticar y beber cerveza. Por aquellos días el peruano y la recepcionista fijaron la fecha de su matrimonio y un aire de confianza y tranquilidad flotaba en el ambiente, como si las cosas se reconciliaran entre sí de forma definitiva, aunque ya se sabe, nada es definitivo. Nuestro equipo quedó tercero. Obtuvimos una copa que Bobadilla y el Carajillo colocaron en la recepción, sobre una estantería, en un sitio bien visible. El tiempo refrescó y yo empecé a hacer planes para el día en que mi trabajo llegara a su fin. En realidad no tenía ni la más remota idea de lo que iba a pasar. Vivir en el camping, decía Caridad, era como estar de vacaciones. Unas vacaciones indefinidas. Para mí era como estar de vuelta en la escuela: partía de cero. A la canadiense la llamábamos nuestra casa, no sé si por ñoñería, por ganas de hacer un chiste o porque era de verdad nuestra casa. Por la mañana, concluido el trabajo, partíamos a la playa, Caridad medio dormida dando saltitos por la acera de losas rotas; íbamos envueltos en toallas pues a esa hora hacía frío, y luego nos dedicábamos a nadar, a comer y a tomar el sol hasta que se nos cerraban los ojos. A las dos o tres de la tarde despertábamos y volvíamos al camping. Muy pronto a Caridad se le colorearon las mejillas. Los trabajadores, incluyendo a Rosa y Azucena, que habían sospechado de ella al principio de la temporada, le tomaron aprecio, tal vez porque siempre estaba dispuesta a echarles una mano, ya fuera en los lavabos o en las distintas tareas de mantenimiento, e incluso en la recepción, durante el día, para que el peruano y la recepcionista pudieran ir a tomar un café. Con la aparición de las primeras señales del otoño todo el mundo empezó a hacer planes, menos nosotros. La senegalesa pensaba trabajar haciendo faenas en casas particulares, las hermanas volverían al Prat, el peruano esperaba encontrar trabajo en alguna gestoría o empresa inmobiliaria de Z apenas tuviera sus papeles en regla, y el Carajillo se pasaría otro invierno encerrado en la recepción, vigilando el camping vacío. Cuando nos preguntaban cuáles eran nuestros proyectos no sabíamos qué decir. El plural de la pregunta nos avergonzaba. Vivir en Barcelona, probablemente, decíamos mirándonos de reojo. O viajar, o irnos a vivir a Marruecos, o estudiar, o tirar cada uno por su lado. En el fondo sólo sabíamos que estábamos colgando en el vacío. Pero no teníamos miedo. A veces, por las noches, cuando daba vueltas por las zonas oscuras, con tiendas familiares vacías cubiertas de pinaza y parcelas desocupadas, pensaba en la pista de hielo y eso sí que me daba miedo. Miedo de que algo de la pista estuviera allí, enganchado, oculto en la oscuridad. A veces, ayudada por el aire y las ratas que paseaban por las ramas de los árboles, la presencia casi se hacía visible; entonces me iba, evitando correr pero aprisa, y sólo tras escuchar la respiración regular de Caridad al otro lado de la lona amarilla que protegía nuestra tienda, me tranquilizaba y podía volver al trabajo...

ENRIC ROSQUELLES:
Además de mi madre y de algunas tías y primos

Además de mi madre y de algunas tías y primos con un sentido del deber familiar y de la solidaridad ejemplares, sólo han venido a visitarme Lola y Nuria, cuya presencia equivale a una multitud y cuyo sentido de la amistad y de la solidaridad también son ejemplares. La primera en aparecer fue Lola y su acto me sorprendió tanto y me causó tanta alegría que sin más me eché a llorar en la sala de visitas. Lejos quedaban nuestros malentendidos, tiranteces, problemas laborales. Al verla supe que no me había equivocado: no importaba que ahora fuera el apestado, una verdadera asistente social siempre acude al lugar del dolor, y Lola, qué duda cabe, es una asistente social de pies a cabeza. La única de mi numeroso equipo que nunca me hizo la pelota (no niego que en más de una ocasión la critiqué en público, o consiguió exasperarme, o pensé en mandarla al exilio de un trabajo de oficina) y la única que se atrevió a visitarme cuando caí en desgracia. Así son las cosas y no es tarde para extraer una lección: los seres sumisos son traicioneros y más vale no confiar en ellos. Esto lo tengo que recordar para cuando salga. Porque pienso salir, no os quepa duda. Pero a lo que iba: Lola vino a verme, alegre y vital como de costumbre, y cuando hube secado mis lágrimas dijo que estaba convencida de que yo no podía ser el asesino de la vieja (cliente suya, es decir nuestra, por otra parte) y que todo terminaría por aclararse. En Z las cosas estaban fatal: el departamento de Servicios Sociales lo llevaba un enchufado de Ferias y Fiestas que para colmo quería hacer méritos (¿delante de quién?, nadie lo sabía) recomponiendo mi antiguo sistema de atención y liándolo todo, lo que alentaba a muchos a pensar seriamente en un cambio de aires. Algunos ya se olían que Pilar iba a caer derrotada en las próximas elecciones y otros no perdonaban que en la reestructuración no se les hubiera tenido en cuenta. Sospecho que Lola estaba entre estos últimos, pues también me contó que su paso al Ayuntamiento de Gerona era inminente: iba a ganar más y le aseguraban un control sobre los programas hechos por ella. Esto me pareció una especie de recriminación velada, la mayor parte de nuestras peleas se habían iniciado por programas escritos por Lola y que luego yo cambiaba, adecuaba, corregía o lisa y llanamente tiraba a la papelera, pero, en fin, después de su visita soy capaz de admitirle cualquier tipo de recriminación, velada o no. Es más, lo digo de una vez y para siempre: Lola fue mi mejor colaboradora y si tras mi marcha ahora se va ella, ¡pobres marginados, pobres niños con problemas, pobre población de alto riesgo de Z! Por supuesto, le deseé la mayor de las suertes en su nuevo trabajo e incluso bromeamos sobre lo que haría yo, laboralmente hablando, cuando saliera de este antro. El resto de la conversación giró en torno a mi situación actual y el batiburrillo de figuras legales e ilegales que la adornaban. Unos días después apareció Nuria y su visita, tantas veces imaginada, deseada, presentida, temida, iluminó esta cueva de dolor con una luz aún más potente que la de la serena amistad de Lola. Hablamos poco, ambos con la voz enronquecida, pero nos dijimos todo lo que teníamos que decirnos. Nuria estaba mucho más delgada. Iba vestida con ropa de hombre, pantalones y chaqueta negra, viejos y holgados como si hubieran pertenecido a su padre. Tenía los ojos enrojecidos, por lo que supuse que antes de entrar había estado llorando. Le pregunté cómo estaba. Sola, dijo. Me paso las noches llorando y pensando. Casi igual que yo. Cuando se marchó vi que sus zapatos también eran de hombre: grandes y negros, con refuerzos metálicos y suela dura, como los zapatones de un skinhead. Ambas, Lola y Nuria, me dejaron sendos regalos. El de Lola era un libro de Remo Morán. El de Nuria, el libro por excelencia del patinaje, *Santa Lydwina y la Sutileza del Hielo*, de Henri Lefebvre, en edición francesa de Luna Park, Bruselas. Tanto para el hospitalizado como para el encarcelado no hay mayor presente que un libro. El tiempo es lo único que me sobra, aunque mi abogado dice que pronto estaré en la calle. La acusación de asesinato no se tiene en pie y sólo deberé responder a la de estafa. Mientras transcurren los días y se acerca el momento de mi liberación me dedico a la lectura y a organizar un poco este lugar. El alcaide, un funcionario de carrera un tanto confundido no sé si por mi presencia o por el entorno, me ha pedido que le ayude a poner orden en esta pocilga. Le he dicho que en la medida de mis posibilidades cuente conmigo. El alcaide es un tipo joven, castellano, soltero, más o menos de mi edad, y creo que hemos simpatizado. En un par de días le hice un estudio de la realidad centrado en el factor sanitario y de hacinamiento, con valoraciones, propuestas y justificaciones. Un interno que trabaja en la biblioteca lo pasó en limpio y el alcaide, después de leerlo, me ha felicitado efusivamente y me ha propuesto prolongar, entre ambos, el estudio y enviarlo al concurso «Proyecto Carcelario Europeo». La idea no es mala...

REMO MORÁN:

No se puede pactar con Dios y con el diablo al mismo tiempo

No se puede pactar con Dios y con el diablo al mismo tiempo, me dijo el Recluta con los ojos anegados de lágrimas. Tiene cuarenta y ocho años y la vida lo ha tratado «peor que a una rata». Ahora que las playas se vacían, estar allí, con él, es como estar en el desierto. Ya no trabaja en la rebusca. Pide limosna. A cierta hora misteriosa abandona su desierto y se pierde por los bares del casco antiguo, demandando la voluntad o una copita, para luego volver a la playa, en donde piensa quedarse, según dice, para siempre. Un día apareció por el hotel, mientras Álex y yo sacábamos cuentas en el comedor vacío de clientes. Nos miró, desde lejos, con ojos de cordero degollado y nos pidió dinero. Se lo dimos. Al día siguiente volvió a aparecer, por la noche, en la puerta del restaurante del hotel, pero aquella vez había gente: jubilados holandeses que organizaban una fiesta de despedida. Un camarero lo sacó como en las películas, cogiéndolo del cuello de la camisa y del cinturón. De complexión menguada y dócil, el Recluta no opuso la menor resistencia y se dejó caer. Yo estaba detrás de la barra, lavando copas, y lo vi todo. Más tarde le dije al camarero que así no se trataba a la gente, aunque los holandeses se hubieran reído mucho con la expulsión. El camarero respondió que Álex había ordenado sacarlo de esa forma. Cuando la fiesta terminó le pregunté a Álex por qué obró tan contundentemente contra un pobre mendigo que nada nos había hecho. No lo sabe, instintivamente desconfía del Recluta. Prefiere no verlo rondando por el hotel. Tampoco quiere que yo lo vea. ¿Qué es lo que más te disgusta de él?, pregunté. Los ojos, dijo Álex, son ojos de loco. Por las noches voy a la playa y encuentro al Recluta durmiendo bajo la estructura metálica de los puestos de helados. La playa huele a cosas dulces y podridas, como si en el interior de una caseta, cerrada al público hasta el próximo verano, hubieran olvidado el cadáver de un hombre o de un perro junto con las cajas con restos de helado. Hablamos, yo de pie, el Recluta tirado sobre la arena, arrebujado en periódicos y mantas, la cara vuelta hacia el contramuro o soslayada detrás de sus extraños dedos semejantes a canutos. Seguro que sabes de un lugar mejor donde dormir, dije. Seguro que lo sé, dijo el Recluta, sollozando...

GASPAR HEREDIA:

Una noche hubo un gran alboroto en la terraza del bar

Una noche hubo un gran alboroto en la terraza del bar y el camarero fue a buscar a los vigilantes. El Carajillo, medio dormido, dijo que primero acudiera yo y viera qué estaba ocurriendo, luego él se reuniría conmigo si la situación era grave y así lo requería. Serían las tres de la mañana. Al llegar a la terraza vi a dos alemanes gigantescos, frente a frente, separados únicamente por una mesa sobre la que aún se apreciaban los restos de una cena y cristales de vasos rotos. El choque entre ambos parecía inevitable y los pocos espectadores, disimulados detrás de los árboles y de los coches, esperaban que de un momento a otro comenzaran a matarse. En la mano derecha de cada alemán había una botella de cerveza vacía, como en las películas de gángsters, salvo que en este caso, curiosamente, puesto que la pelea había empezado hacía un buen rato, al menos en lo que se refiere a insultos y amenazas, no las habían destrozado todavía y se contentaban con esgrimirlas desafiantes. Los dos, lo percibí al acercarme, estaban bastante borrachos, tenían el pelo revuelto, babeaban, los ojos fuera de órbita, los brazos arqueados, inmersos ya en el mundo del combate que los aguardaba y con una indiferencia soberana a todo lo que no estuviera relacionado con él. Hablaban: no cesaban de insultarse, aunque lo cierto es que no entendí ni una palabra, pero los sonidos, guturales, sarcásticos, brutales, que salían de sus labios no dejaban mucho lugar a la duda. De hecho, las palabras de los alemanes eran lo único que se escuchaba a lo largo y ancho del camping, aunque de fondo se oyeran leves y lejanas voces de protesta del reducido número de clientes que aún no dormía, sobre todo provenientes de las tiendas cercanas al perímetro de la terraza. Las protestas, y esto no sé por qué resultaba inquietante, eran tan ininteligibles como los rugidos de los alemanes. Traídas por la brisa nocturna, llegaban en sordina, inmateriales y soñadas, y creaban, al menos así me lo pareció, una especie de cúpula que envolvía el camping con todo lo que en éste había, ya fueran cosas vivas o cosas muertas. De pronto, para empeorar la situación, una voz en mi cabeza me advirtió que el único que podía romper la cúpula era yo. Así que mientras caminaba por la terraza en dirección a los alemanes, presintiendo que el Carajillo no iba a aparecer y que ninguno de cuantos miraban la escena intervendría en el supuesto, cada vez más real, de que los alemanes decidieran calentar un rato conmigo antes de la pelea, intuí que algo iba a ocurrir (o tal vez ahora piense esto y entonces sólo tuviera un poco de miedo), que cada paso que daba en dirección a los gesticulantes era la mitad de un paso en dirección a mí mismo. Caminar hacia los Hermanos Corso. El Nel, majo definitivo. Me dispuse a recibir una paliza y ver qué pasaba después, y con el ánimo en tal estado llegué junto a los alemanes y les ordené, con un tono de voz amigable y no muy alto, que dejaran la terraza y se fueran a dormir. Entonces ocurrió lo que tenía que ocurrir, los alemanes dirigieron hacia mí sus jetas y en medio de éstas, como peces pilotos, sus ojos azules nadaron a través de la intoxicación etílica y se clavaron primero en mí, luego en los troncos de los árboles que minaban lentamente la terraza, luego en las mesas vacías, luego en las farolas que colgaban de algunas roulottes y finalmente, como si recompusieran la imagen verdadera, en un punto impreciso a mis espaldas. Debo decir que yo también noté algo detrás de mí, algo que me seguía, pero preferí no darme la vuelta y averiguarlo. La verdad es que estaba bastante nervioso, sin embargo al cabo de unos segundos percibí un cambio en la actitud de los alemanes, como si en la inspección del paisaje se hubieran convencido, instantáneamente, de la gravedad del juego que pensaban jugar; sus ojos regresaron a sus cuencas aplacando de algún modo la violencia gestual que precedía a la violencia física. Uno de ellos, probablemente el menos borracho, balbuceó una pregunta. Su voz sonó con extraños matices de inocencia y pureza. Acaso preguntó qué demonios ocurría. En inglés, repetí que se fueran a dormir. Pero los alemanes no me miraban a mí sino a lo que estaba detrás de mí. Por un segundo pensé que tal vez se tratara de una trampa: si me volvía el par de brutos se abalanzaría sobre mí profiriendo gritos de guerra. No obstante pudo más mi curiosidad y miré por encima del hombro. Lo que vi me sorprendió tanto que solté la linterna: ésta se estrelló contra el cemento y las pilas (muchas, demasiadas pilas) rodaron por la terraza hasta perderse en la oscuridad. Detrás de mí estaba Caridad y en la mano sostenía un cuchillo de cocina de hoja ancha que parecía convocar a través de las ramas una luz sepia proveniente de las nubes. Menos mal que me guiñó un ojo porque de lo contrario hubiera creído que a quien pensaba enterrar el cuchillo era a mí. La verdad es que semejaba un fantasma. Con delicadeza en nada exenta de terror enseñaba el cuchillo como si enseñara uno de sus pechos. Y los alemanes sin duda se dieron cuenta y ahora con la mirada parecían decir no queremos morir ni ser heridos, estábamos bromeando, no queremos tener nada que ver con esto. Váyanse a dormir, dije, y se marcharon. Esperé hasta verlos alejarse hacia el interior del camping apoyados uno en el otro, dos borrachos comunes y corrientes. Cuando volví a mirar a Caridad el cuchillo ya no estaba. Los campistas que observaban la escena desde sus tiendas, poco a poco, como desperezándose, comenzaron a formar corros, encender cigarrillos y comentar la jugada. No tardaron en subir a la terraza e invitarnos a beber. Alguien recogió las pilas de mi linterna y me las dio. De pronto me encontré tomando vino y comiendo berberechos en el patio de una tienda enorme como una casa donde se sucedían las banderitas de papel de Cataluña y Andalucía. Caridad, sonriente, se hallaba a mi lado. Una señora mayor me daba palmaditas en los brazos. Otra alababa el temple de los mexicanos. Tardé en darme cuenta de que se refería a mí. Comprendí que nadie había visto el cuchillo en las manos de Caridad, excepto los alemanes y yo. La precipitada marcha de éstos era atribuida a mi decisión de mantener el orden en el camping. La linterna caída: un gesto de rabia antes de proceder a sacarlos a chingadazos. La presencia de Caridad: natural aprensión de enamorada. Los sucesos de la terraza habían quedado difuminados por los árboles y por las sombras. Tal vez fuera mejor así. Cuando volvimos a la recepción el Carajillo dormía profundamente y durante un rato estuvimos sentados afuera, tomando el fresco sin decirnos una palabra, observando, sobre el camino, una luz salmón y saltarina que proyectaba una atmósfera similar a la de un submarino. Poco después Caridad dijo que se iba a dormir. Se levantó y la vi atravesar la luz hacia el interior del camping. El cuchillo, por sus proporciones, debía abultar debajo de la blusa, pero nada distinguí, y por un segundo pensé que la muchacha del cuchillo sólo vivía en mi imaginación...

ENRIC ROSQUELLES:
Novelas regaladas

Novelas regaladas. *Santa Lydwina y la Sutileza del Hielo* es un librito primorosamente ilustrado sobre la santa patrona de los patinadores. La narración transcurre en el año 1369 y se centra de manera un tanto obsesiva en una tarde que se nos sugiere trascendental para el único personaje. Santa Lydwina de Schiedam, que durante horas ha estado inmersa en un mar de dudas, patina sobre la superficie helada de un río mientras los primeros signos de la noche comienzan a aparecer en el horizonte. El río helado es descrito en algunas páginas como un «pasillo» y en otras como una «espada» entre el día y la noche. La santa, juvenil y hermosa, pero algo ceñuda, patina ajena a la oscuridad que se avecina. En el libro se nos dice que traza recorridos de un puente a otro puente, unos quinientos metros, más o menos. De pronto, en su rostro se experimenta un cambio, sus ojos se iluminan y cree comprender el significado último de su ejercicio. Justo entonces se cae y se rompe («merecidamente») una costilla. Allí acaba el libro, no sin antes informarnos de que tras este accidente Santa Lydwina se repone y vuelve al patinaje, si cabe, con mayor alegría. La novela de Remo Morán se titula *San Bernardo* y cuenta las hazañas de un perro de esa raza o de un hombre llamado Bernardo, posteriormente santificado, o de un maleante que obedece a tal alias. El perro, o el santo, o el maleante, vive en las faldas de una gran montaña helada y todos los domingos (aunque a veces se diga «todos los días») se dedica a recorrer las aldeas de la zona montañosa y a desafiar a duelo a otros perros o a otros hombres. Con el tiempo la moral de aquellos que se han batido con él comienza a resquebrajarse y nadie se atreve a dirigirle la palabra. Le hacen, se dice textualmente, «la ley del hielo». No obstante Bernardo persevera y sigue recorriendo cada domingo las aldeas de la falda de la montaña y sigue desafiando a duelo a quienes, no avisados, tardan en rehuirlo. El tiempo pasa y los contrincantes del perro o del hombre se hacen viejos, se retiran de la vida pública, algunos se suicidan, otros mueren de muertes naturales, los más acaban en tristes asilos de ancianos. Por su parte, Bernardo también envejece y con la vejez y la soledad, puesto que él no vive en una aldea, comienza a volverse quisquilloso y cascarrabias. Por supuesto, los duelos prosiguen y los contrincantes son cada vez más jóvenes, detalle que al principio Bernardo no percibe, pero que luego comprende como si le asestaran un mazazo. Morán no ahorra ni la sangre, que corre a torrentes, ni los baños de esperma, ni las lágrimas desatadas con el pretexto más nimio. A mitad de la novela, Bernardo («moviendo la cola») se larga de las faldas de la gran montaña y pasa una temporada en un valle y otra temporada siguiendo el curso de un río. Al volver a casa todo sigue igual. Los duelos cada vez son más violentos y en su cuerpo se multiplican las cicatrices y los costurones. En una ocasión está a las puertas de la muerte. En otra sufre una emboscada a la salida de una aldea. Finalmente, mediante un decreto, en todas partes se prohíben los duelos y Bernardo, tras quebrantar la ley repetidas veces, debe huir. Entonces, al final de la novela, ocurre algo extraño: después de despistar a sus perseguidores, refugiado en una gruta, Bernardo sufre una metamorfosis, su viejo cuerpo se divide en dos partes idénticas al cuerpo primigenio. La primera parte escapa hacia el valle lanzando gritos de júbilo. La segunda parte sube pesadamente hacia las alturas de la gran montaña y nunca más se oye hablar de él...

REMO MORÁN:

Me hace polvo ver cómo la gente se larga

Me hace polvo ver cómo la gente se larga, me dijo el Recluta, mientras yo sigo pegado a este pueblo esperando un milagro. El milagro elemental o el milagro de lo comprensible. Por las tardes iba a buscarlo a la playa y casi siempre lo encontraba junto a un puesto de patines que atendía un tipo enorme y desfigurado. Junto a él, el Recluta parecía un enano y se sentía protegido: no hablaban, se limitaban a estar juntos hasta que oscureciera, y ambos se perdían en direcciones opuestas. Aquél era el único puesto de patines que quedaba en la playa y casi no tenía clientes. El Recluta, por ayudar, a veces recorría un tramo de playa ofreciendo los patines, pero nadie le hacía caso. Por aquellos días Nuria se marchó de Z sin decirme una palabra y, según Laia, ahora vivía con una amiga en Barcelona, donde había encontrado trabajo. Lola y mi hijo se mudaron a Gerona. Álex había comenzado a preparar el cierre de las tiendas de bisutería, del camping y del hotel (como siempre, sólo mantendríamos el Cartago abierto todo el año) y salía de su oficina únicamente para comer. En el camping quedaba muy poca gente y en el hotel sólo un grupo de jubilados salidos de madre que cada noche montaban una fiesta como si presintieran la inminencia de la muerte. El escándalo del Palacio Benvingut había remitido, aunque en Z se seguía hablando de la estafa de Rosquelles; era un arma política que se arrojaban socialistas y convergentes en su lucha por el Ayuntamiento. En el resto de España ya habían salido a la luz otros escándalos y el mundo seguía, imperturbable, su curso en el vacío. En lo que a mí respecta empezaba a estar harto de Z y a veces soñaba con irme, ¿pero adónde? Traspasarlo todo y vivir en una masía cerca de Gerona no era una buena idea. Tampoco vivir en Barcelona, o volver a Chile. Tal vez México, pero no, en el fondo sabía que no iba a volver: tenía demasiado miedo. Sólo falta que empiece a nevar, patrón, me dijo el Recluta una tarde mientras caminábamos por el Paseo Marítimo y en la playa, de tanto en tanto, se adivinaba algún bañista semienterrado bajo la arena o recorriendo la orilla en dirección contraria a la nuestra en un desesperado intento de rebajar kilos o de adquirir cierta condición atlética. ¿Sólo falta que empiece a nevar? Sí, patrón, me dijo el Recluta, borracho o drogado, los ojos brillantes de fiebre, y que la nieve me cubra hasta matarme...

GASPAR HEREDIA:

Faltaba una semana para que nos fuéramos

Faltaba una semana para que nos fuéramos. Bobadilla había empezado a despedir de forma escalonada al personal y un día, al despertarme, me dijeron que Rosa y Azucena habían regresado al Prat. Antes de marcharse compraron una tarta y prepararon una pequeña despedida. La noticia me dolió y lamenté haber estado dormido. Caridad guardaba mi pedazo de tarta, que me comí en el fondo del camping, mirando las cercas y las sombras que se desplazaban por los edificios colindantes, casi todos vacíos. La perspectiva de abandonar Z me llenaba de inquietud, sin embargo, era inevitable que nos fuéramos. Mientras esperábamos que eso sucediese Caridad sugirió visitar por última vez el Palacio Benvingut. Me negué resueltamente. ¿Para qué ir allí? ¿Qué se nos había perdido? Nada. Así que mejor era seguir recluidos en el camping hasta el día de nuestra definitiva partida de Z. Caridad pareció convencida, pero no lo estaba. En sus ojos, brevemente, vi la placa borrosa que ya conocía y que en ella, en su rostro, actuaba como un succionador hacia otra realidad. Los ojos borrosos, me dije a mí mismo, son producto del agotamiento y de la mala alimentación de esta muchacha, y punto. O bien: es natural que unos ojos oscuros, cabalmente negros, se vean borrosos con tal y cual luz. Pero la verdad es que nada conseguía tranquilizarme. Cada día que pasaba se iba acrecentando mi miedo. ¿Miedo de qué? Con certeza no puedo decirlo, aunque supongo que era miedo a dejar de ser feliz. Resultaba sintomático que cuando estaba solo me entretuviera haciendo números en un papel o en el suelo con un palito: el dinero que me debía Remo Morán, más el finiquito, contra los meses que tardaría en evaporarse, aproximadamente en Navidad, la mejor época para estar sin un duro. Para entonces confiaba en tener otro trabajo, aunque fuera de Papá Noel o de Rey Mago. Otras veces me daba por pensar en la policía. Soñaba con comisarías crepusculares barridas por el viento, archiveros despanzurrados en el suelo, fichas amarillas de extranjeros con permisos de residencia caducados desde hacía muchos años, papeles que ya nadie leía y que el tiempo iba borrando. Casos archivados y perdidos. Rostros de asesinos archivados y perdidos. Todos los legales ahora pueden trabajar, la guerra ha terminado. Cuando despertaba intentaba darme valor diciéndome que lo peor ya había pasado, que todo había ido bien, pero la sensación de no estar pisando terreno firme persistía. En otra ocasión, mientras dormía, escuché la voz de Caridad, en sordina, diciendo que quería ir al Palacio Benvingut para vengar a Carmen. Abrí los ojos creyendo que hablaba con alguien afuera de la tienda, pero no, estaba a mi lado, extendida junto a mí, y las palabras eran susurradas directamente en mi oído. ¿Para qué estropearlo todo con el maldito palacio?, musité, a medio camino entre la vigilia y el sueño. Caridad se rio como si hubiera sido sorprendida jugando a algo infame. A través de la lona no se distinguía la más leve señal de luz diurna, por lo que supuse que ya había oscurecido; el silencio de la tarde, de una tarde vacía de campistas, enfriaba el cuerpo; tuve la impresión, no sé por qué, de que en el exterior había dos palmos de neblina. ¿Vengar a Carmen, de qué manera?, dije. Caridad no contestó. ¿Crees que el asesino volverá al lugar del crimen?, dije. Sentí cómo los labios de Caridad bajaban de mi oreja al cuello y ahí se posaban: primero los labios, luego los dientes, luego la lengua. Me di vuelta, casi enfermo, y busqué el contorno de su rostro. En la oscuridad los ojos de Caridad habían desaparecido. Pobre Carmen, dijo, yo sé quién la mató. Con tu amigo Remo hemos hablado de esto. ¿Cuándo?, dije. Vino a verme hace unos días y hablamos de todo. ¿Remo sabe quién mató a Carmen? Yo también, dijo Caridad. ¿Y para qué quieres ir al Palacio Benvingut?, deberías ir a la policía, dije, incapaz de volver a quedarme dormido...

ENRIC ROSQUELLES:

Salí en libertad una semana después

Salí en libertad una semana después de que mi ensayo ganara el primer premio en el concurso «Proyecto Carcelario Europeo» patrocinado por la CEE. Pasar una temporadita en la cárcel me había templado los nervios, según creía, y el modo en que ahora contemplaba la realidad era más distante y sereno. Notoriamente más distante y sereno. Hay reclusos que dicen que estar dentro o estar fuera más o menos es lo mismo. No les falta un poco de razón. De todas maneras yo prefería estar fuera. Había adelgazado y me había dejado crecer el bigote; por lo demás, aunque resulte paradójico, mi piel estaba mucho más bronceada que al entrar y mi salud era perfecta. En la salida encontré a mi madre y a mis tías y antes de que tuviera tiempo de reaccionar me vi en casa de uno de mis primos (el arquitecto), en donde permanecí oculto durante tres días, reducido a la voluntad de la familia de mi madre, que de esta manera se cobraba la porción que le correspondía del dinero puesto en mi fianza. En privado, la mujer de mi primo me confesó que temían una nueva locura de mi parte. ¡El suicidio! ¡Angelitos de Dios! Si no me había suicidado en la trena, ¿cómo podían suponer que me suicidaría en la calle, arropado entre los míos?

Pero no les llevé la contraria y me dejé manejar cuanto les diera la gana. En el fondo siempre he respetado la sabiduría, el saber hacer de la familia. Durante esta nueva reclusión sólo hablé (por teléfono) con el director de la cárcel de Gerona, quien no sólo estaba encantado con el premio sino que planeaba ya nuevos ensayos escritos en conjunto sobre una variedad de temas que él definía como «sociológicos». Juanito, que ése era su nombre, pensaba pedir una excedencia de un año en la Administración Pública, pues al hilo del premio le habían ofrecido trabajo en una importante editorial madrileña y, según sus palabras, no perdía nada con probar. No recuerdo si la editorial era de libros «sociológicos» o de literatura, qué más da, estoy seguro de que Juanito llegará lejos. La otra llamada telefónica fue para intentar localizar a Nuria. Primero hablé con su madre y luego con Laia. La madre, correcta pero seca, me informó de que Nuria ya no vivía en Z y que hasta donde ella sabía su hija prefería no volver a verme. Más tarde hablé con Laia y así supe que Nuria trabajaba de secretaria en una empresa holandesa afincada en Barcelona y que hacía un mes o algo así su foto había aparecido en una conocida revista de alcance nacional. ¿De qué foto hablaba? Fotos de desnudos artísticos, dijo Laia, aguantándose la risa. Durante más de una semana intenté conseguir la revista pero todos mis esfuerzos fueron vanos. Alguna noche, ya en mi casa, soñé que buscaba las fotos de Nuria desnuda, deambulando en pijama por una hemeroteca gigantesca y polvorienta, similar (recordarlo me pone los pelos de punta) al Palacio Benvingut. Envuelto en una gelatina gris, sofocado y silencioso, revolvía estantes y cajones con la vaga certeza de que si encontraba las fotos comprendería el significado, la razón, el sentido verdadero y escamoteado de lo que me había ocurrido. Pero las fotos nunca aparecían...

REMO MORÁN:

Yo la maté, patrón, me dijo el Recluta

Yo la maté, patrón, me dijo el Recluta, mientras las olas se acercaban a intervalos regulares, cada vez un poco más, a sus rodillas. La playa estaba vacía; en el horizonte, sobre el mar, se revolvían nubes negras y gordas. Una hora más, pensé, y la primera tormenta de otoño, como un portaaviones, pasará sobre Z y nadie nos oirá. (¿Nadie nos oirá?) No me pregunte el porqué, patrón, dijo el Recluta, seguramente ni yo mismo lo sé, aunque probablemente la respuesta sea porque estoy enfermo. ¿Pero enfermo de qué? Nada me duele. ¿Qué demonio o diablo me ha poseído? ¿La culpa la tiene este pueblo miserable? El Recluta estaba arrodillado en la arena, mirando el mar de espaldas a mí, por lo que no podía verle la cara, aunque me pareció que estaba llorando. El pelo, muy pegado al cráneo, daba la impresión de estar peinado con gomina. Le rogué que se calmara y nos fuéramos a otra parte. (¿Adónde quería llevarlo?) No me fui cuando debía irme, contestó, prueba de que todavía tengo los huevos en su sitio, y he esperado todo lo humanamente posible que la iluminación llegara a los policías, pero en este país nadie quiere trabajar, patrón, y aquí me tiene, suspiró. Las olas, por fin, alcanzaron las rodillas del Recluta.

Un escalofrío recorrió sus harapos. Le arrebaté el cuchillo con el que la pobrecita pensaba defenderse (¿de mí?, ¡no!) y a partir de ese momento me convertí en una bestia, sollozó el Recluta. ¿Qué están esperando para detenerme? Dije: ¿cómo te van a detener si nadie sospecha nada de ti? El Recluta permaneció en silencio un breve instante, ya teníamos la tormenta sobre nuestras cabezas. Yo la maté, patrón, eso es un hecho, y ahora este pueblo extraño y miserable parece celebrar su luna de miel. Empezó a diluviar. Antes de levantarme y emprender el regreso al hotel le pregunté cómo había sabido que la cantante vivía en el Palacio Benvingut. El Recluta se volvió a mirarme con la inocencia de un niño (entre dos relámpagos vi la cara recién lavada, chorreando agua, de mi hijo): siguiéndola, patrón, siguiéndola por estas calles empinadas sin más intención que velar por ella. Sin más intención que estar cerca del calor humano. ¿Ella estaba sola? El Recluta dibujó unos signos en el aire. Ya no hay nada más que hablar, dijo...

GASPAR HEREDIA:

Tomamos el tren a Barcelona una tarde nublada

Tomamos el tren a Barcelona una tarde nublada, después de una mañana lluviosa que anegó las pocas tiendas que aún quedaban de pie en el Stella Maris. Los objetos que poseíamos resultaron más numerosos de lo que a simple vista parecía y nos hicieron falta bolsas de plástico, que conseguimos en el único supermercado que permanecía abierto. Incluso así nos vimos obligados a dejar en el camping muchas cosas que Caridad no se resignaba a perder: revistas, recortes, conchas de mar, piedras y un surtido variado de souvenirs de Z. Espero que cuando Bobadilla encuentre esos despojos los tire sin más dilación a la basura. La noche anterior a nuestra partida Remo apareció por la recepción para entregarme un sobre con mi paga y un extra con la cantidad suficiente como para que Caridad y yo cogiéramos un avión con destino a México. Luego estuvimos hablando detrás de la piscina, en un lugar donde nadie pudiera escucharnos. Sospecho que ambos nos ocultamos algo. La despedida fue breve: lo acompañé hasta la salida, le di las gracias, Morán dijo que me cuidara, nos dimos un abrazo y desapareció. Nunca más lo he vuelto a ver. Aquella misma noche Caridad y yo nos despedimos también del Carajillo. La mañana siguiente fue ajetreada: el agua entró en la tienda y nos mojó la ropa y los sacos de dormir. Cuando marchamos hacia la estación estábamos empapados. Al llegar ya no llovía. Al otro lado de las vías, en un huerto, vi un burro. Estaba bajo un árbol y de vez en cuando lanzaba un rebuzno que hacía que todos los viajeros que esperaban en los andenes se volvieran a mirarlo. El burro, después de la lluvia, parecía feliz. Entonces, como vomitados por una nube negra, por un extremo de la estación aparecieron dos policías nacionales y un guardia civil. Pensé que venían a detenernos. Con el rabillo del ojo los vi avanzar lentamente, con pachorra, hacia nosotros, las manos prestas a desenfundar. Ese bicho y yo nos parecemos, dijo Caridad con voz soñadora. Somos extranjeros en nuestro propio país. Hubiera querido decirle que se equivocaba, que allí al único a quien podían aplicarle la ley de extranjería era a mí, pero no abrí la boca. La cogí suavemente de la cintura y esperé. Caridad, pensé, era extranjera para Dios, para la policía, para sí misma, pero no para mí. Lo mismo podía decir del burro. Los policías se detuvieron a medio camino. Entraron en el bar de la estación, primero los nacionales, después el guardia civil, y, ¡milagro auditivo!, los oí claramente pedir dos cortados y un carajillo. El burro volvió a rebuznar. Durante un buen rato estuvimos contemplándolo. Caridad pasó un brazo por mis hombros y permanecimos así hasta que llegó el tren...

ENRIC ROSQUELLES:

Cuando por fin volví a Z todo era tan distinto

Cuando por fin volví a Z todo era tan distinto que pensé que me había equivocado de pueblo. En primer lugar nadie me reconoció, lo que resultaba extraordinario ya que durante muchas semanas fui el personaje más famoso del lugar y costaba creer que en tan poco tiempo todo el asunto hubiera sido olvidado. En segundo lugar, yo mismo no reconocí muchos de los edificios y calles de Z, como si en mi ausencia alguien hubiera rediseñado el casco urbano de una manera sutil pero dolorosamente perceptible: las vitrinas parecían fragmentos de un gran entramado de camuflaje, los árboles desnudos no estaban donde debían estar, el sentido de la circulación, en algunas calles, había variado sustancialmente. Sólo el Ayuntamiento, lo comprobé sin bajarme del coche, ofrecía la misma fachada imperturbable de siempre, aunque Pilar ya no fuera la alcaldesa (había sido derrotada ampliamente en las últimas elecciones) ni yo su más eficiente factótum. La institución, comprendí con una mezcla de dulzura y amargura, seguiría pese a las transmutaciones de la realidad, o lo que es lo mismo: la realidad era incapaz, aunque en el empeño cayéramos los seres humanos como Pilar y yo, de cambiar aquellas venerables (e inútiles) piedras. Vistas las cosas desde esa perspectiva resultaba más fácil aceptar los cambios ocurridos en el pueblo. De todas maneras, bajo el influjo de un sentido de la precaución, aprendido recientemente en la cárcel, sólo bajé del coche para tomar una copa en un bar del centro e ir al lavabo, y para estirar un poco las piernas por el Paseo Marítimo, ya cercana la hora de irme. ¿Que si caí en la tentación de visitar el Palacio Benvingut? Bueno, lo más fácil sería deciros que no, o que sí. La verdad es que di un paseo en coche por las cuestas, pero no llegué a más. Hay una curva privilegiada, en la carretera de Z a Y, desde la que se puede observar la cala y el palacio. Cuando llegué allí frené, di la vuelta y volví a Z. ¿Qué ganaba con ir al Palacio Benvingut? Nada, sólo añadir más dolor al dolor acumulado. En invierno, además, el palacio es un lugar demasiado triste. Las piedras que recordaba azules son ahora grises. Los caminos que recordaba luminosos están ahora cubiertos de sombras. Así que metí el freno, di la vuelta en medio de la carretera y volví a Z. Hasta que no me hube alejado lo suficiente evité mirar por el retrovisor. Lo perdido está perdido, digo yo, y hay que mirar hacia adelante...

Índice

REMO MORÁN:
Lo vi por primera vez en la calle Bucareli 9
GASPAR HEREDIA:
Llegué a Z mediada la primavera 11
ENRIC ROSQUELLES:
Hasta hace unos años mi carácter era proverbialmente apacible 13
REMO MORÁN:
Admito que en mayo di trabajo a Gaspar Heredia 16
GASPAR HEREDIA:
Se llamaba Stella Maris 19
ENRIC ROSQUELLES:
Sé que cuanto diga sólo contribuirá a hundirme 23
REMO MORÁN:
Ahora ya es inútil que intente arreglar lo que no tiene arreglo 30
GASPAR HEREDIA:
A veces, cuando me asomaba a las rejas del camping 34
ENRIC ROSQUELLES:
Dicen que Benvingut emigró a finales del siglo pasado 39

Remo Morán:
Conocí a Lola en circunstancias extraordinarias 43
Gaspar Heredia:
La cantante de ópera jamás estuvo alojada 46
Enric Rosquelles:
Encontré a un fontanero, a un lampista, a un carpintero 50
Remo Morán:
Conocí a Nuria gracias a la Asociación Ecologista de Z 52
Gaspar Heredia:
Comencé a acostumbrarme a caminar por el pueblo 55
Enric Rosquelles:
El coche lo dejaba aparcado debajo del viejo parral 63
Remo Morán:
De la segunda visita de Nuria al hotel 66
Gaspar Heredia:
La música que se escuchaba era la *Danza del Fuego* 69
Enric Rosquelles:
Iniciamos los entrenamientos a principios de verano 73
Remo Morán:
Un día Rosquelles vio la bicicleta de Nuria en la calle 77
Gaspar Heredia:
Era improbable que los jefes aparecieran por el camping 80
Enric Rosquelles:
¿Cómo creéis que me sentí cuando supe...? 86

REMO MORÁN:
Decidí ir a buscar a Nuria a su casa 92
GASPAR HEREDIA:
Soy un recluta en este pueblo del infierno, dijo el Recluta 96
ENRIC ROSQUELLES:
Siempre percibí miradas cargadas de resentimiento 101
REMO MORÁN:
Los días que precedieron al hallazgo del cadáver 105
GASPAR HEREDIA:
Desde lejos observé a Carmen y al Recluta en la orilla del mar 109
ENRIC ROSQUELLES:
Lamentablemente, después de cenar nos fuimos a una discoteca 116
REMO MORÁN:
La vieja es colega tuya 122
GASPAR HEREDIA:
Después de que el gordo y la patinadora se marcharon 126
ENRIC ROSQUELLES:
Al día siguiente de la fiesta en la discoteca 129
REMO MORÁN:
A las diez en punto de la mañana cogí el coche y salí 133
GASPAR HEREDIA:
Hasta que el Carajillo se durmió estuvimos hablando de mujeres 139

Enric Rosquelles:
Por la tarde Pilar telefoneó a mi oficina para informarme 143
Remo Morán:
Los policías eran jóvenes y tenían rostros no muy despiertos 147
Gaspar Heredia:
Caridad se adaptó bastante bien a la vida del camping 151
Enric Rosquelles:
Juro que yo no la maté 155
Remo Morán:
Los periódicos y las revistas la hicieron famosa 158
Gaspar Heredia:
La policía estuvo dos veces en el camping 162
Enric Rosquelles:
Además de mi madre y de algunas tías y primos 165
Remo Morán:
No se puede pactar con Dios y con el diablo al mismo tiempo 168
Gaspar Heredia:
Una noche hubo un gran alboroto en la terraza del bar 170
Enric Rosquelles:
Novelas regaladas 174
Remo Morán:
Me hace polvo ver cómo la gente se larga 177

GASPAR HEREDIA:
Faltaba una semana para que nos fuéramos 179
ENRIC ROSQUELLES:
Salí en libertad una semana después 182
REMO MORÁN:
Yo la maté, patrón, me dijo el Recluta 184
GASPAR HEREDIA:
Tomamos el tren a Barcelona
una tarde nublada 186
ENRIC ROSQUELLES:
Cuando por fin volví a Z todo era tan distinto 188